LOS DIS

CALVARY
CHAPEL

LOS PRINCIPIOS FUNDAMENTALES DEL MOVIMIENTO CALVARY CHAPEL

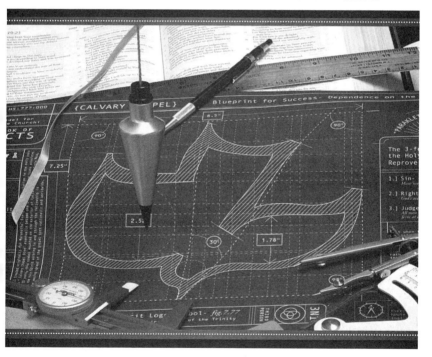

CHUCK SMITH

THE WORD
FOR TODAY

P.O. Box 8000, Costa Mesa, CA 92628 • *www.twft.com* • correo electrónico: info@twft.com

Título del original: Calvary Chapel Distinctives
Edición en castellano: Los Distintivos de Calvary Chapel
Por Chuck Smith

Propiedad literaria ©2000, ©2002, 2006 "The Word For Today"
Todos los derechos reservados.
P.O. Box 8000, Costa Mesa, California 92628

Visítenos en: The Word For Today
www.twft.com
E-mail: info@twft.com

ISBN 10: 1-931713-43-X

ISBN 13: 978-1-931713-43-6

Citas Bíblicas tomadas de la Santa Biblia, versión Reina-Valera
revisión 1960.

TABLA DE CONTENIDO

PREFACIO

¿Qué hace a Calvary Chapel diferente de otras iglesias evangélicas que creen en la Biblia? Siempre es bueno tener una idea de la obra única que Dios ha hecho en nuestra congregación. Si la iglesia de Calvary Chapel fuese exactamente igual a la del otro lado de la calle, simplemente lo mejor sería unirla con aquella. Pero si hay características que la hacen diferente, entonces quiere decir que tiene un lugar único y especial en el plan de Dios. Ciertamente hay iglesias que comparten muchas de nuestras creencias y prácticas. No somos renegados. Pero Dios ha hecho una obra maravillosa de balance en el movimiento de Calvary Chapel que lo hace diferente en muchas áreas.

Hay muchos que creen en los dones y el ministerio del Espíritu Santo, pero no enfatizan la enseñanza bíblica ni dependen de la Palabra de Dios para ser guiados en sus experiencias con el Espíritu Santo. También hay muchos que acentúan la enseñanza de la Palabra de Dios, pero no comparten el punto de vista de que los dones del Espíritu Santo están disponibles y son válidos para hoy. En Calvary Chapel encontramos la enseñanza de la Palabra y un corazón abierto a la obra del Espíritu Santo. Es este balance lo que nos convierte en un movimiento distinto, bendecido por

Dios de un modo especial. Y es por eso que resulta importante entender los principios bíblicos que muestran la manera como Dios nos ha permitido existir y crecer.

Esto no significa que todas las iglesias Calvary Chapel sean idénticas. Siempre me sorprende ver cómo Dios puede tomar elementos simples y crear tal variedad con ellos. Básicamente, todos nosotros tenemos dos ojos, una nariz, una boca dos oídos, y, sin embargo ¡qué distintos somos los unos de los otros! La gente incluso es emocionalmente diferente. Ahora, Dios nos ama a todos. Él ama al extremadamente emocional tanto como al desanimado y apático. De la misma manera, quiere que todos los hombres sean capaces de relacionarse con Él. Por eso ha creado una gran variedad de iglesias. Unas atraen a aquellos que son de naturaleza emotiva; otras, a los de personalidad más seria y formal. Dios, deseando alcanzar y bendecir a todos los tipos de personas, disfruta de tener una gran variedad de iglesias, de tal manera que la necesidad de cada uno sea satisfecha, la de los extremadamente emotivos, la de los muy formales y la de todos aquellos que se encuentran entre éstos. Cada uno de nosotros tiene una parte en el plan de Dios, pero todos necesitamos conocer dónde encajamos en este amplio espectro. Por eso es crucial para nosotros tener un pleno conocimiento de lo que llamamos "Distintivos de Calvary Chapel." Conforme observamos qué hace de nuestra congregación algo único, entendemos mejor cuál es nuestra posición en el cuerpo de Cristo.

EL LLAMADO AL MINISTERIO

Y nadie toma para sí esta honra, sino el que es llamado por Dios . . .
Hebreos 5:4

Antes de ver lo que llamamos "Los Distintivos de Calvary Chapel," consideremos el tema vital de nuestro llamado y compromiso con el ministerio.

Si hay una característica absolutamente esencial para un ministerio efectivo, ésta es, en primer lugar, tener la sensación del llamado, la convicción en nuestros corazones de que Dios nos ha escogido y llamado a servirle. La Biblia nos habla de hacer de nuestro llamado y nuestra elección una certeza. ¿Está convencido de que Dios lo ha llamado al ministerio? Esto es muy importante porque el ministerio no es una profesión que podamos escoger; es un llamado de Dios. ¿Cómo sabemos que hemos sido llamados? El ministerio para los llamados no es una opción, es una necesidad.

Como Pablo lo expresó: *¡Ay de mí si no anunciare el Evangelio!* (I de Corintios 9:16b). Jeremías decidió que no iba a hablar más de parte de Dios porque lo había metido en muchos problemas. Había sido arrojado en la cárcel y su vida había estado amenazada, así que decidió: "Esto se acabó. Me voy de aquí." Y dijo: *No me* *acordaré más de Él, ni hablaré más en Su nombre; no obstante, había en mí corazón como un fuego ardiente metido en mis huesos; traté de sufrirlo, y no pude* (Jeremías 20:9). Esto es lo que ocasiona esta clase de llamado, pues el ministerio no siempre es deslumbrante. Existen tiempos extremadamente difíciles. Como Pedro escribió: *Amados, no os sorprendáis del fuego de prueba que os ha sobrevenido, como si alguna cosa extraña os aconteciese* (I Pedro 4:12). Necesitamos entender que aun cuando Dios nos haya llamado al ministerio, nuestro llamado va estar sujeto a grandes pruebas. ¿Cuán seguro está de que Dios lo ha llamado para servirle?

Cuando sentí por primera vez el llamado al ministerio, fui al Instituto Bíblico a prepararme. Tuve dificultades en el instituto sólo porque sentía la necesidad de salir y empezar el ministerio. Pensaba: "Afuera hay un mundo de personas que muere sin Jesucristo, y yo me encuentro aquí sentado en un salón de clases estudiando libros de texto." Estaba seguro de que el mundo esperaba por mí. Así que se imaginará la impresión que me lleve al descubrir, cuando me gradué del instituto y obtuve mi primera asignación, que el mundo no estaba esperando por mí. Entonces la prueba llegó. Fue difícil, económica y espiritualmente. No veía los frutos que había previsto tener en el ministerio, ni las emociones ni los resultados inmediatos.

En esa época tenía muchas presiones financieras, por las cuales me vi en la necesidad de conseguir un trabajo secular para mantener a mí familia y permanecer en el ministerio. Me di cuenta de que no era sostenido por el ministerio. Así que, durante los primeros diecisiete años, trabajé fuera de la iglesia para poder sostenerme. Fue realmente duro porque estaba convencido de que yo había sido llamado. Incluso hubo momentos en los cuales cuestioné el llamado, y otros en que le pedí a Dios que cambiara el llamado. Le dije: "¡Dios! ¡Llámame a ser un empresario! Parece que lo hago bien, que no me es ajeno el mundo de los negocios y me resulta fácil hacer dinero. Además, Señor, puedo ser un buen empresario cristiano. Puedo sostener la iglesia y apoyar a cualquiera en el ministerio." Pero Dios no me permitió escapar de Su llamado, aun cuando hubo tiempos en los que procuré hacerlo. La visión de servir a Dios se mantuvo ardiendo en mí corazón. Así que, tuve la convicción del llamado. Esto es tan importante que cada uno de nosotros necesita plantearse esta simple pregunta: ¿Realmente me ha llamado Dios al ministerio?

Junto con la sensación del llamado viene la necesidad del compromiso. Además del compromiso al Señorío de Jesucristo, un pastor debe tener algunas cualidades más que son vitales. Yo soy lo que soy, no por mis propias ambiciones, por mis deseos ni por mí voluntad. Yo soy por Su voluntad. Le he rendido mi vida al Señor. Y si estoy rendido al Señor, podré estar comprometido con Su Palabra y Su ministerio para servir a otros.

Para tener la actitud correcta en nuestro servicio necesitamos recordar las Palabras de Jesús. Él dijo: *Sabéis que los que son tenidos por gobernantes de las naciones se enseñorean de ellas, y sus grandes ejercen sobre ellas potestad. Pero no será así entre vosotros, sino el que quiera hacerse grande entre vosotros será vuestro servidor, y el que de vosotros quiera ser el primero, será siervo de todos* (Marcos 10:42-44). Es esencial reconocer que el ministerio no es un lugar para ser servido, con gente esperándolo, honrándolo y respetándolo porque usted es el pastor. Es, en realidad, un lugar donde sirve a las personas, aun si esto significa hacer más de lo que debe hacer.

Recientemente asistí a una conferencia de pastores

y quedé sorprendido por la descortesía de algunos de ellos, que traían sus tazas con café y refrescos al salón donde nos reuníamos. Yo no tenía ningún problema con esto, pero cuando la reunión terminó dejaron sus envases de bebidas y tazas de café en el suelo, así que me puse a recogerlos y a limpiar el auditorio. Sé lo que ocurre cuando uno viene y patea una taza de café sobre la alfombra, y no quería dejar un mal testimonio de nuestros ministros de Calvary Chapel en las instalaciones de aquel centro de conferencias. Así que, muchas personas ven en el ministerio una oportunidad para ser servidos, en lugar de servir a otros. Pensar: "Bueno, alguien debería recoger mi basura, pues yo soy el ministro," no es sólo una contradicción de términos sino una actitud antibíblica.

Hubo un tiempo en que solía dejar mi ropa tirada por todas partes en la casa. Finalmente, mi esposa me dijo: "Mira, ¡yo nunca accedí a ser tu esclava! ¡Cuélgalas tú mismo! ¿Por qué tengo yo que colgar tu ropa?" Bueno, pensé al respecto, y me di cuenta de que tenía razón: No debí haber esperado que ella colgará mi ropa. Fue una lección importante para mí. Yo no he sido llamado a reinar; he sido llamado a servir.

La noche en que Jesús tuvo la última cena con Sus discípulos, antes de ser traicionado, arrestado y crucificado, tomó una toalla y se ciñó con ella. Entonces se acercó a sus discípulos, les lavó los pies y les preguntó: *¿Sabéis lo que os he hecho? Vosotros me llamáis Maestro, y Señor; decís bien, porque lo Soy. Pues sí Yo, el Señor y el Maestro, he lavado vuestros pies, vosotros también debéis lavaros los pies los unos a los otros* (Juan 13:12b-14). Como dijo Pedro: *Pues para esto fuisteis llamados; porque también Cristo padeció por nosotros, dejándonos ejemplo, para que sigáis sus pisadas* (1 Pedro 2:21). La palabra "ministerio" realmente significa servicio.

Hemos sido llamados para ser siervos, primero de nuestro Señor, pero también de Sus hijos.

En mi opinión, la persona que fuma tiene uno de los hábitos más sucios del mundo, siempre huele mal y deja un olor particular donde quiera que va. Es fácil detectar a alguien que fuma, todo lo que tiene que hacer es pasar al lado de él, el olor estará impregnado en su ropa. Si entra a la casa de alguien que fuma y se acerca a las cortinas para olerlas, el olor lo tumbará. Francamente, es un hábito sucio. Pero lo que es aun peor es que los fumadores tiran las colillas del cigarrillo en cualquier parte. Entonces las aplastan con el pie para apagarlas, y ensucian la vereda. Cuando algunas personas vienen a la iglesia, muchas veces lo hacen fumando, y ya casi a punto de entrar, tiran el cigarrillo y lo arrastran con el pie. ¿Quién se supone que tiene que recoger las colillas?

Cuando era niño, mi madre me enseñó que nunca debía agarrar un cigarrillo ni una colilla. Desarrollé tal aversión al cigarrillo que no podía tocar uno sin que me sintiera contaminado. Cada vez que me inclinaba a recoger una colilla, al momento de tocarla algo desde mi niñez se rebelaba en mí. ¡La detestaba! Cuando caminaba por las instalaciones de la iglesia y veía colillas, las recogía, porque no me gustaba cómo se veían, pero notaba que mientras lo hacía, me quejaba en contra de quienes las habían tirado. Pensaba: "Gente sucia, asquerosa, desconsiderada y poco atenta."

Luego el Señor habló a mí corazón. Simplemente me dijo: "¿A quién estás sirviendo?" Le dije: "Te sirvo a Ti, Señor." Y Él contestó: "Entonces deja de quejarte." Así que no sirvas con un corazón amargado. No sirvas con resentimiento. Si recojo las colillas de cigarrillos pensando en la gente sucia, entonces voy a sentir rechazo al hacerlo, pero si pienso: "Señor, voy a mantener tus instalaciones limpias," me doy cuenta de que puedo recogerlas y ponerlas en la basura sin ningún resentimiento interno, porque lo estoy haciendo para Jesús, no para que alguien me apruebe, sino sólo para Ti, Señor. Como la Escritura nos dice: *Y todo lo que hacéis, sea de palabra o de hecho, hacedlo todo en el nombre del Señor Jesús* . . . (Colosenses 3:17a).

En el ministerio no existe actitud más importante que ésta. Necesitamos servir como si sirviéramos al Señor, porque vamos a encontrarnos con personas detestables, desagradecidas, exigentes, y vamos a darnos cuenta de que muchas veces es una miseria tenerlas a nuestro alrededor. Así que si piensa: "Tengo que servirlas," no lo podrá hacer. Pero si piensa: "Estoy sirviendo al Señor," será capaz de lograrlo. Sea cual sea nuestro servicio, tenemos que hacerlo como para el Señor, sabiendo que del Señor recibiremos Su recompensa.

No busque el aplauso del hombre. No busque que la gente le diga: "Oh, oh, gracias. Usted significa tanto para mí," porque muchas veces esto no va a ocurrir. He hecho tanto por la gente, y me han despreciado por no haber hecho más. Necesita mantener una actitud mental de hacer todo para el Señor, sabiendo que de Él recibirá su recompensa. Tiene que mantener esto en mente. Soy un siervo de Jesucristo. Él es mí Maestro. Él es el que me recompensará por mí servicio. Yo necesito mantener esta perspectiva y tener la actitud correcta en mí corazón. Conforme sirvo a la gente lo estoy haciendo por Él.

No sólo debemos mantener un compromiso hacia Jesús y de servir a Su pueblo, sino también debe haber un compromiso a seguir la Palabra de Dios. Creo que cualquiera que no cree que la Biblia es la Palabra de Dios, inspirada, inmutable, no tiene nada que hacer en el ministerio. Tristemente, esto quizás eliminaría hoy al cincuenta por ciento de los pastores en los Estados

Unidos. ¿Por qué enseña de un libro en el que no cree? Y si cree que la Biblia es la Palabra inspirada por Dios, y que es su obligación predicar de ella, entonces, sea como sea, ¡conózcala! Comprométase a hacerlo. Como Pablo dijo a Timoteo: *Procura con diligencia presentarte a Dios aprobado, como obrero que no tiene de qué avergonzarse, que usa bien la Palabra de verdad* (II Timoteo 2:15). Se le puede enseñar cómo estudiar la Biblia, pero el proceso de aprendizaje nunca termina. Hasta el día de hoy yo continúo mi compromiso de estudiar la Palabra de Dios, para mostrarme aprobado ante Él.

CAPÍTULO UNO

EL MODELO DE DIOS PARA LA IGLESIA

Y sobre esta roca edificaré Mi iglesia . . .
Mateo 16:18

En Calvary Chapel consideramos el libro de Hechos como el modelo para la iglesia. Creemos que, en su mayor parte, la historia de la iglesia ha sido una triste y trágica historia de fracaso. Muchas atrocidades se han cometido en el nombre de Jesucristo y enarbolando la bandera de la iglesia.

Cuando yo fui a la universidad pasé un tiempo muy difícil cuando los profesores se enteraron de que era cristiano. Ellos comenzaron a traer a colación ciertos asuntos de la historia de la iglesia con los cuales estaba demasiado familiarizado. Mi única respuesta era: "Miren, no juzguen el cristianismo por los ejemplos imperfectos que hemos visto en la historia. Júzguenlo por Jesucristo. Volvamos atrás a lo que Él dijo y enseñó: *Bienaventurados los misericordiosos, por que ellos alcanzarán misericordia* (Mateo 5:7). ¿Hay algo malo en esto? Él enseñó que debemos amarnos los unos a los otros. ¿Hay algo malo en esto? Enseñó que es más bienaventurado dar que recibir. ¿Hay algo malo en esto?" Cuando se habla de las enseñazas básicas de Jesús, aun los escépticos tienen que confesar que no tienen ningún problema. Ellos tienen problemas con las personas que dicen ser cristianas y con las cosas que éstas han hecho en el nombre de Cristo.

En el libro de Apocalipsis, Jesús hace mención de los problemas que tenían las siete iglesias del Asia. Incluso en esa temprana época, Jesús llamaba a las iglesias a arrepentirse. Él enfatizó las fallas que existían, las falsas doctrinas que se habían infiltrado. Y estas prácticas ya estaban esparciendo semillas de descomposición dentro de la iglesia. En su mayor parte, la iglesia había fracasado hacia el final del primer siglo. El gnosticismo y el arrianismo habían comenzado a extenderse. El desarrollo del sacerdocio y el establecimiento de una organización eclesial se iniciaron tempranamente en la historia de la iglesia. En el libro de Apocalipsis, Jesús expresó su descontento con todas estas cosas en el mensaje que dio a las iglesias.

Ahora, esto ocurrió menos de sesenta años después de la fundación de la iglesia. No le había tomado mucho tiempo volverse tan corrupta y tibia como para que el Señor estuviera dispuesto a vomitarla de su boca. Ella era nauseabunda para él. Cuando observo la historia de la iglesia, no me da la impresión de que las cosas hayan mejorado. La iglesia solamente se ha deteriorado aun más. Las cosas que el Señor dijo acerca de las siete iglesias bien podría volver a decirlas sobre la iglesia de hoy.

De modo que no se puede encontrar el modelo para la iglesia mirando su historia, como tampoco se puede descubrir la intención divina de Dios para el hombre viendo la historia de la humanidad. El hombre está caído, por eso no vemos el ideal divino. Lo mismo ocurre con la iglesia: No se puede hallar el ideal divino observando la historia de la iglesia.

El ideal divino se encuentra en el libro de Hechos. Esa era una iglesia dinámica. Era una iglesia dirigida por el Espíritu Santo y con poder del Espíritu Santo. Fue una iglesia que llevó el Evangelio al mundo. Pablo, al escribir a los colosenses, unos treinta años después de Pentecostés, dijo: *A causa de la esperanza que os está guardada en los cielos, de la cual ya habéis oído por la Palabra verdadera del Evangelio, que ha llegado a vosotros, así como a todo el mundo, y lleva fruto y crece también en vosotros, desde el día que oísteis y conocisteis la gracia de Dios en verdad* (Colosenses 1:5-6). Los primeros creyentes experimentaron una iglesia eficaz llevando el Evangelio al mundo.

Creo que en el libro de Hechos podemos ver a la iglesia tal como Dios quiso que sea. El modelo que allí se encuentra es el de una iglesia llena del Espíritu Santo, dirigida por el Espíritu Santo, y con poder del Espíritu Santo; una iglesia en la cual el Espíritu Santo dirigía su función y ministerio.

¿Cuán dependiente del Espíritu Santo era la iglesia primitiva? Encontramos al Espíritu Santo diciendo: *Apartadme a Bernabé y a Saulo para la obra a que los he llamado. Entonces, habiendo ayunado y orado, les impusieron las manos y los despidieron* (Hechos 13:2b-3). Pablo usa frases tales como: *Porque ha parecido bien al Espíritu Santo y a nosotros* (Hechos 15:28), *intentaron ir a Bitinia, pero el Espíritu no se lo permitió* (Hechos 16:7b). Estos fueron hombres dirigidos por el Espíritu, guiados por el Espíritu, que buscaron la dirección del Espíritu Santo.

Vemos en el cuarto capítulo de Hechos como, cuando ellos enfrentaron una severa persecución, oraron y buscaron la ayuda y guía de Dios. Fue entonces cuando el Espíritu vino sobre ellos de nuevo, y al salir predicaron con denuedo la Palabra.

Hubo cuatro funciones básicas en la iglesia primitiva. Hechos 2:42 nos dice: *Y perseveraban en la doctrina de los apóstoles, en la comunión unos con otros, en el partimiento del pan y las oraciones.* Estos cuatro fundamentos deben de ser instituidos cuando una congregación de creyentes se desarrolle. Si dirigimos a las personas a continuar perseverando en la Palabra de Dios, enseñándoles las doctrinas de los apóstoles, trayéndolas al compañerismo en el cuerpo de Cristo, participando en el partimiento del pan, siendo personas de oración, veremos a Dios suplir cualquier otra necesidad.

Ciertamente, el Señor estuvo al cuidado de todo en la iglesia en Hechos: *Y el Señor añadía cada día a la iglesia los que habían de ser salvos* (Hechos 2:47b). Nunca olvide que no es su trabajo añadir gente a la iglesia. Esa es la obra de Dios. Su tarea es alimentar el rebaño, guardarlo, amarlo y ver que todos en él estén bien cuidados. Esto es especialmente cierto en un rebaño pequeño. El Señor dijo: *Bien, buen siervo y fiel; sobre poco has sido fiel, sobre mucho te pondré; entra en el gozo de tu Señor* (Mateo 25:21). El Señor no lo pondrá como gobernante de muchos hasta que usted no haya sido fiel con unos pocos. No piense constantemente: "¡Ay! ¡Cómo desearía tener miles aquí! ¡Cómo quisiera tener cinco mil aquí!" Ministre a aquellas ocho o diez personas que tiene. Sea fiel en ministrarlos, alimentarlos, y el Señor añadirá diariamente a los que han de ser salvos. El tamaño de la iglesia no debe ser su preocupación, ni nunca debería serlo.

Ahora bien, si observa la mayor parte de los programas de las iglesias de hoy, notará que el objetivo principal es tratar que la iglesia crezca. Existe una serie de programas y seminarios de crecimiento que intentan mostrarle cómo puede añadir gente a su iglesia. Bueno, es muy fácil, no tiene que asistir a ningún seminario ni pagar 175 dólares para saber cómo incrementar la cantidad de personas en su iglesia. Sólo lleve gente a la Palabra. Hágala orar. Llévela al compañerismo y al partimiento del pan, y hallará que el Señor añadirá diariamente a aquellos que deban ser salvos.

Algo muy sabio que hice cuando estaba envuelto en una denominación fue dejar de contar el número de personas que venían. La iglesia siempre tenía una gráfica en la pared que mostraba la asistencia a la escuela dominical del día, del domingo pasado y del año anterior. Había un énfasis constante en los números. Con mucha frecuencia se les recordaba a las personas las estadísticas de asistencia. "¿Dónde estamos con relación al último domingo? ¿Dónde estamos con relación al año pasado? ¿Dónde están todos hoy? ¿Por qué estamos decreciendo?" Constantemente, la gente estaba interesada en los números. Contar las cabezas es una trampa, un terrible lazo en que se cae. ¡No lo haga! Solamente vea a aquellos que están ahí y reconozca: "Estos son los que hoy el Señor me ha traído para ministrarles." Dé lo mejor de usted a ellos y minístrelos desde su corazón. Ministre diligentemente. Si se mantiene fiel y prueba ser un mayordomo fiel, el Señor traerá más personas para atender, cuidar y ministrar. Por lo tanto, sea fiel con aquellos que Dios ha puesto bajo su tutela.

En el libro de Hechos vemos que se presentaron algunos problemas en la iglesia con el programa de asistencia social. Las viudas que eran partidarias de la cultura griega se sentían discriminadas, pensaban que aquellas que observaban la tradición judía recibían un favor especial. Así que, fueron a los apóstoles con sus quejas. Los apóstoles dijeron: *No es justo que nosotros dejemos la Palabra de Dios, para servir a las mesas. Buscad, pues, hermanos, de entre vosotros a siete varones de buen testimonio, llenos del Espíritu Santo y de sabiduría, a quienes encarguemos de este trabajo. Y nosotros persistiremos en la oración y en el ministerio de la Palabra* (Hechos 6:2b-4).

Por lo tanto, la Palabra de Dios era la prioridad en el ministerio de la iglesia primitiva, junto con la oración. Se entregaron a la enseñanza de la Palabra de Dios, al compañerismo (*koinonía*), al partimiento del pan y a la oración: *En la comunión unos con otros, en el partimiento del pan y en las oraciones* (Hechos 2: 42). *Y el Señor añadía cada día a la iglesia los que habían de ser salvos* (Hechos 2:47b). Cuando la iglesia sea aquello que Dios intenta que sea, cuando haga lo que Dios desea, el Señor hará lo que quiere hacer por ella. Él añadirá cada día a la iglesia a los que deben ser salvos.

Los hombres que Dios usó en la iglesia de Hechos fueron aquellos que estaban totalmente entregados a Jesucristo, que no buscaban su propia gloria, sino solamente traer gloria a Jesús. Cuando la multitud se aglomeró en el Pórtico de Salomón, después de la sanidad del paralítico, Pedro dijo: *Varones israelitas, ¿por qué os maravilláis de esto? o ¿por qué ponéis los ojos en nosotros, como si por nuestro poder o piedad hubiésemos hecho andar a éste? El Dios de Abraham, de Isaac y de Jacob, el Dios de nuestros padres, ha glorificado a Su Hijo Jesús . . .* (Hechos 3:12 13a). Incluso Pedro, después de un gran milagro, no se tomó la gloria ni el crédito para sí. Él los dirigió hacia Jesús, para darle la gloria al Señor a través del milagro que había hecho.

Dar la gloria a Dios era el propósito en la iglesia primitiva. Los hombres que Dios usó no buscaban su propia gloria. Cuando veo cómo los hombres se esfuerzan por triunfar, crear un nombre y traer gloria para sí mismos, me produce un gran dolor en mí corazón. Siempre están tratando de ser el centro de atención y así ser captados por las cámaras. Pero Jesús insistió: El camino para arriba es hacía abajo. *Porque el que se enaltece será humillado, y al que se humilla será enaltecido* (Mateo 23:12).

Así que viva para el reino de Dios. Busque dar gloria a Jesucristo y el Señor lo usará. Es mi oración, mi constante y diaria oración, que Dios me mantenga sirviéndole. Pablo deseó lo mismo. Él escribió a los corintios: *Sino que golpeo mi cuerpo, y lo pongo en servidumbre, no sea que habiendo sido heraldo para otros, yo mismo venga a ser eliminado* (1 Corintios 9:27).

El éxito es algo peligroso. Si Dios comienza a traer éxito a su ministerio, está en un peligro mayor que si sólo lucha y trata de mantener un pequeño e insignificante grupo de diez personas en un lejano lugar. ¡Es muy fácil mantenerse de rodillas en esta clase de circunstancias! No existe mucha oportunidad para ser glorificado. Pero cuando el éxito comienza a venir es cuando el verdadero peligro llega al ministerio. Conforme la gente empieza a recurrir a usted, es tan fácil deslizarse y aceptar el crédito o recibir el aplauso. Este es el camino más corto hacía el fin de la unción del Espíritu de Dios. La Biblia nos dice: *Porque ni de oriente ni de occidente, ni del desierto viene el enaltecimiento. Más Dios es el juez. A éste humilla, y a aquél enaltece* (Salmo 75:6-7). El enaltecimiento y la promoción personal parecen ser el nombre del juego hoy. Muchos pastores invierten todo su tiempo y energía tratando de promover una iglesia, o tratando de promoverse a sí mismos. Pero la promoción, la verdadera promoción, viene del Señor. Así que tenga cuidado.

El libro de Hechos nos da el modelo para la iglesia. Es una iglesia dirigida por el Espíritu, que enseña la Palabra y que está desarrollando la unidad. Esto es compañerismo y koinonía. Es una iglesia que persevera en el partimiento del pan, en la unidad y la oración conjunta. El resto es Su trabajo, y Él lo hará. Él añadirá a la iglesia diariamente a aquellos que deben ser salvos.

El Gobierno De La Iglesia

Y sometió todas las cosas bajo Sus pies, y lo dio por cabeza sobre todas las cosas a la iglesia.
Efesios 1:22

Nosotros reconocemos que el Nuevo Testamento no ofrece una posición clara y definitiva sobre la preferencia de Dios respecto del gobierno de la iglesia. En las Escrituras encontramos tres formas básicas de gobierno; dos de ellas están en el Nuevo Testamento y la otra se desarrolla a lo largo de la historia de la iglesia.

La primera forma de gobierno fue la de los obispos o supervisores. La palabra griega es *episkopos*. En I Timoteo 3:1, Pablo escribió: *Palabra fiel: Si alguno anhela obispado, buena obra desea.* Timoteo nos da los requisitos para un *episkopos*. *Pero es necesario que el obispo sea irreprensible, marido de una sola mujer, sobrio, prudente, decoroso, hospedador, apto para enseñar, no dado al vino, no pendenciero, no codicioso de ganancias deshonestas, sino amable, apacible, no avaro; que gobierne bien su casa, que tenga a sus hijos en sujeción con toda honestidad (pues el que no sabe gobernar su propia casa, ¿cómo cuidará de la iglesia de Dios?); no un neófito, no sea que envaneciéndose caiga en la condenación del diablo. También es necesario que tenga buen testimonio de los de fuera, para que no caiga en descrédito y en lazo del diablo* (I Timoteo 3:2-7).

Hubo también otra forma de liderazgo que utilizaba a un grupo de hombres dotados llamados los *presbíteros* o ancianos. Hechos 14:23 nos dice: *Y constituyeron ancianos en cada iglesia, y habiendo orado con ayunos, los encomendaron al Señor en quien habían creído.*

El Nuevo Testamento enseña claramente el establecimiento de los obispos—*episkopos* y el nombramiento de ancianos—*presbíteros*. Estas dos formas de gobierno, por su propia naturaleza, parecen contradecirse. ¿Debe la iglesia estar dirigida por los obispos o por la junta de ancianos, por los episkopos o los presbíteros? Estas divisiones son tan marcadas, que hoy día existen dos denominaciones que representan ambos extremos. La iglesia Episcopal sigue a los episkopos; es una iglesia dirigida por un obispo. La iglesia Presbiteriana tiene a los presbíteros, y es gobernada por la junta de ancianos. El hecho de que ambas existan y puedan presentar una defensa válida de sus puntos de vista, demuestra que no hay una enseñanza definitiva y clara acerca de la forma correcta de gobierno para la iglesia.

Con el tiempo, surgió una tercera forma de gobierno de la iglesia, conocida como *congregacional*. Yo no creo que el gobierno congregacional sea una opción, porque realmente en la Biblia no encontramos un ejemplo de una congregación que haya estado en lo correcto. Más bien, vemos que la congregación siempre planteaba demandas que no estaban de acuerdo con la voluntad de Dios. Por ejemplo: *Por tanto, constitúyenos ahora un rey que nos juzgue, como tienen todas las naciones* (I Samuel 8:5b). Entonces, no es posible hallar un ejemplo bíblico de un efectivo gobierno congregacional. Leemos sí de congregaciones tratando de gobernar. En Éxodo 16:2, por ejemplo: *Y toda la congregación de los hijos de Israel murmuró contra Moisés y Aarón en el desierto.* Y en Números 14:1-3: *Entonces toda la congregación gritó, y dio voces; y el pueblo lloró aquella noche. Y se quejaron contra Moisés y contra Aarón todos los hijos de Israel; y les dijo toda la multitud: ¡Ojalá muriéramos en la tierra de Egipto o en este desierto ojalá muriéramos! ¿Y por qué nos trae Jehová a esta tierra para caer a espada, y que nuestras mujeres y nuestros niños sean por presa? ¿No nos sería mejor volvernos a Egipto?* En Números 14:27 Moisés responde a Dios: *¿Hasta cuándo oiré esta depravada multitud que murmura contra Mí, las querellas de los hijos de Israel, que de Mí se quejan?* Así que ¡Ay del hombre que pastorea una iglesia congregacional! Como Moisés, únicamente encontrará murmuración y sedición.

Estas son las tres formas básicas de gobierno en la iglesia que vemos hoy: Los *episkopos*, los *presbíteros* y, la más reciente, los "congregacionalistas."

Ahora bien, encontramos en la Escritura una forma de gobierno que Dios estableció y modeló en la historia primitiva de Israel. Esta era una teocracia. Es decir, gente que era gobernada por Dios. La nación de Israel, en sus inicios, tenía una forma *teocrática* de gobierno. Dios la gobernaba.

Su fin vino cuando se cansaron del gobierno de Dios y exigieron tener a cambio una monarquía. Ellos dijeron: *Por tanto, constitúyenos ahora un rey que nos juzgue, como tienen todas las naciones* (I Samuel 8:5b). Samuel quedó sumamente decepcionado cuando le solicitaron esta monarquía.

Veamos un ejemplo de *teocracia,* en el cual Dios
estaba gobernando. Hubo un hombre llamado Moisés,
que estuvo sometido a Dios, que fue a Dios para ser
guiado y dirigido. Moisés era reconocido como líder
terrenal porque recibía de Dios la guía, la dirección, las
leyes y reglas para la nación. El pueblo lo reconocía
como su vínculo con Dios. Ellos decían: "Miren,
nosotros tenemos temor de acercarnos a Él. Él es
poderoso, hemos visto fuego y estruendo. Sube tú y
habla con Él. Cuando bajes, dinos lo que dijo. Nosotros
obedeceremos, pero no queremos ir. Ve tú solamente."
Ellos reconocían que Moisés era dirigido por Dios. Él
subía y recibía de Dios, y luego bajaba y compartía con
el pueblo.

Bajo la autoridad de Moisés las demandas
personales fueron sorprendentes. Todos los días, la fila
de personas con necesidades se extendía hasta el
horizonte. Por cada problema que surgía, por
insignificante que fuera, venían a Moisés para que
juzgara entre ellos y sus vecinos. "Ellos tomaron
prestado mi azadón, y nunca más lo han regresado,"
decían. Ahora, esto ocurría todo el día, todos los días.
Jetro, su suegro, le dijo: "Eh, hijo, esto te va matar. Tú
no puedes hacerlo todo. La fila de gente esperando por
un fallo es demasiado larga y tú no puedes encargarte
de todas las cosas que necesitan hacerse."

Así que el Señor le dijo a Moisés que tomara
setenta ancianos de Israel y que se reunieran en la
tienda de congregación. Él tomó el Espíritu que había
puesto sobre Moisés y lo puso sobre ellos, de modo que
la gente pudiera acudir a ellos, y ellos pudieran dar las
normas y resolver los juicios. Si surgía un asunto muy
difícil, entonces acudían a Moisés. Moisés, a su vez,
recurría a Dios para recibir claridad sobre el asunto
(Éxodo 18:13-27).

Como ayuda adicional, Aarón y los sacerdotes, al
mando de Moisés, velaban por las necesidades

espirituales de la nación, así como por la preparación de las ofrendas y los sacrificios. La congregación de Israel se encontraba bajo la autoridad de Aarón y los ancianos. Esa fue la forma de gobierno que Dios estableció para la nación de Israel.

En la iglesia de hoy vemos esta estructura de una manera modificada. Vemos que Jesucristo es la Cabeza que está sobre el cuerpo de la iglesia. Es Su iglesia; Él es el que está a cargo de ella. Como pastores, necesitamos ser como Moisés: Permanecer en contacto con Jesús para recibir Su dirección y guía. Como pastores, debemos dirigir la iglesia de tal manera que la gente sepa que el Señor tiene el control. Entonces, cuando surjan asuntos, podremos decir: "Bueno, déjeme orar acerca de esto; déjeme buscar la sabiduría del Señor sobre esto; busquemos la guía del Señor." Además, al igual que tenía Moisés, en la iglesia tenemos un Consejo de Ancianos que está para orar con nosotros y apoyarnos en la búsqueda de la dirección de Dios para la iglesia.

Permítame advertirle que primeramente debe tener ancianos que sean hombres de oración y que reconozcan que Dios lo ha ungido y ordenado como pastor de la iglesia. Pablo le advirtió a Timoteo que no impusiera con ligereza las manos sobre ningún hombre (1 Timoteo 5:22a). Trate de conocer a los hombres realmente lo mejor que pueda antes de colocarlos en posiciones de autoridad. Es como el matrimonio: En realidad, uno no conoce a su esposa hasta que no haya estado casado con ella por un tiempo. Muchas veces hay un gran número de sorpresas. También es importante recordar que usualmente surgen problemas cuando se comienza a tener algún éxito, y la iglesia empieza a crecer y hacerse grande. Hay muchas personas que tienen deseos de poder. Cuando ven que hay dinero en el banco, es cuando hacen sus movimientos para obtener posición y control.

Es necesario tener a hombres de Dios que reconozcan que Él lo ha llamado y ordenado como pastor de la iglesia; hombres que trabajen y lo apoyen en aquellas cosas que, como pastor, Dios le ha ordenado llevar a cabo en la iglesia. Tener un buen Consejo Directivo es una de las ayudas más grandes que puede tener en su ministerio. Doy gracias a Dios que aquí en Calvary Chapel, en Costa Mesa, California, hemos sido bendecidos con grandes hombres de Dios sirviendo en el Consejo. Generalmente, nosotros, en las noches de oración de los sábados o en las de vigilia, buscamos varones que sirvan en el Consejo. Queremos hombres de oración, que estén buscando a Dios y Su voluntad. Somos bendecidos con estos hombres en nuestro Consejo, y le agradezco a Dios por ellos.

Ahora bien, los ancianos verdaderos no son un grupo de hombres que digan "sí" a todo, sino hombres rendidos al Espíritu Santo; son realmente una barrera y protección para mí. Su trabajo es estar en contacto con la congregación. La congregación les presenta cualquier problema que ve. Muchas veces simplemente responden: "Bueno, ésta es la política de la iglesia, y es por eso que hacemos las cosas de esta manera." Y el problema no va más lejos. Algunas veces, en la reunión del consejo, traen una lista de preguntas tales como: "Bueno, me han informado de esto. ¿Qué piensa al respecto?" En ocasiones, yo les contesto: "Bien, yo no tengo ninguna opinión, busquemos al Señor." Pero en muchos otros asuntos dejo que ellos resuelvan el problema.

Cuando era un joven pastor en Tucson, Arizona, la segunda iglesia en la que fui pastor, organizaba cada 4 de julio, el Día de la Independencia, un paseo campestre en Monte Lemon. Como en esa fecha Tucson estaba a 43oC en el valle, subíamos al Monte Lemon donde la temperatura era más fresca. El parque estatal en Monte Lemon tenía una gran área para acampar, donde había baños, agua corriente, mesas y campos para juegos. Era un lugar maravilloso para que la iglesia realizara un paseo campestre y pasara un buen tiempo de compañerismo. En una celebración del Día de la Independencia, uno de nuestros miembros dijo: "Tengo un terreno en el Monte Lemon, y en lugar de mezclarnos con los mundanos en el parque estatal, pienso que sería estupendo si la iglesia viniera y tuviera el paseo en mi terreno." Preguntamos: "¿Hay agua?" Y él respondió: "No" "¿Tiene baños?" "No, sólo es un terreno." Había también ocho kilómetros más de camino desde el parque estatal hasta su terreno. Él respondió: "Pero sería grandioso tener un día de ayuno y oración." Ahora, ¿de qué modo puede alguien, como pastor, hablar en contra del ayuno y la oración sin aparentar realmente no ser espiritual ante las personas?

Así que, un grupo de personas en la iglesia lo discutió y acordó que sería maravilloso tener un día de ayuno y oración en el terreno. Seríamos únicamente nosotros y tendríamos un tiempo glorioso.

Sin embargo, hubo otro grupo de personas en la iglesia que decía: "No vamos a llevar a nuestros niños a un lugar donde no hay agua. ¿Y quién va a ver a los niños? ¿Qué van a hacer ellos mientras nosotros estamos en ayuno y oración? No hay baños. Si ustedes van allá, nosotros no iremos." Entonces, el grupo espiritual dijo: "Bien. Si ustedes van al parque estatal, nosotros no iremos." Manifestaban una espiritualidad real. Hubo una fuerte división en la congregación.

Nuestro paseo del Día de Independencia, que había sido de gloriosa convivencia año tras año, se iba arruinar a causa de esta división. Ambas partes vinieron a mí y me preguntaron: "Chuck, ¿adónde va a ser nuestro paseo?" Así que, con sabiduría del Señor y más allá de mis años, les contesté: "Dejaremos que el

Consejo decida." Tuvimos una reunión del Consejo y se decidió por unanimidad ir al parque estatal. Volví donde las personas y les dije: "El Consejo ha decidido que debemos tener nuestro paseo en el parque estatal." Entonces fui capaz de ir donde los espirituales que querían ayunar y orar, y decirles: "Es una gran idea, sería maravilloso pasar un día de ayuno y oración. Tal vez en otra ocasión, nosotros podamos ir, solos, a ayunar y orar. Pero en cuanto al paseo, ellos sienten que es mejor que vayamos al parque estatal."

Debido a la decisión del Consejo, yo estaba libre para ministrar a ambas partes. El Consejo vino a ser la barrera. Es grandioso tener una protección así. Las personas no critican diciendo: "Fue el pastor quien decidió, y no estoy de acuerdo con su decisión". El Consejo decide y se convierte en una defensa para mí.

Yo creo que el modelo de Dios es que el pastor sea gobernado por el Señor y reconocido por la congregación como el instrumento ungido por Dios para guiar la iglesia, con la guía y dirección del Consejo. Para complementar esto, existe la función de los pastores asistentes. Están para ministrar diariamente las necesidades espirituales de la gente. Con estos componentes en su lugar, existe una gran forma de gobierno en la iglesia, en la cual usted, como pastor, no se encuentra en la posición de un asalariado. Ser un asalariado constituye un peligro real cuando la iglesia es dirigida por un gobierno presbiteriano (gobierno de ancianos), y el Consejo rige sobre ella. El pastor es empleado por el Consejo y, por ende, puede ser despedido por él. Con esta clase de gobierno el pastor se convierte en un asalariado.

Lo mismo se aplica al gobierno congregacional. El pastor es empleado por la congregación, antes que ordenado por el Señor, quien debe ser la Cabeza del cuerpo. Él no es designado por Jesucristo, la Cabeza del cuerpo, sino que es elegido o seleccionado por el consejo o la congregación. De nuevo, el pastor viene a ser un asalariado. Y yo no creo que nadie pueda hacer su mejor trabajo cuando es un asalariado.

Yo creo que todos deberíamos ser *diáconos*. El ministerio de ayuda era la esencia de la función del diácono. Ellos se encargaban de las instalaciones. Ellos se encargaban de las necesidades de la congregación y de ayudar a los enfermos. Uno de los errores más grandes en el ministerio es empezar a dar títulos a las personas en la iglesia, especialmente aquellos que distinguen a uno por encima del otro. Eso es muy peligroso.

Un consejo referente a los requisitos espirituales para el liderazgo lo dio Judas en su doxología: *Y a Aquel que Es poderoso para guardaros sin caída, y presentaros sin manchas delante de Su gloria con gran alegría,* (Judas 1:24). Yo no soy culpable mientras esté en Cristo Jesús, aunque es verdad que todos hemos pecado y estamos destituidos de la gloria de Dios. Si alguien reconoció su incompetencia para el ministerio, ése fue Pablo, el apóstol, quien dijo: *A mí que soy menos que el más pequeño de todos los santos, me fue dada esta gracia de anunciar entre los gentiles el Evangelio de las inescrutables riquezas de Cristo* (Efesios 3:8). Estaba diciendo: "Yo soy menos que el menor de todos los santos. En realidad, no soy digno de ser llamado un apóstol, porque perseguí a la iglesia de Dios." En otra parte, se refiere a sí mismo diciendo: "Esta gracia se ha dado al mayor de los pecadores." Pablo reconoce que su posición le fue dada solamente por la gracia de Dios. Como también dijo en I Corintios 15:10: *Por la gracia de Dios soy lo que soy.* Verdaderamente reconoció que, en Cristo, él era sin culpa. Así que el requisito clave para un pastor o líder en la iglesia es estar "en Cristo Jesús," y en este estado, sin culpa.

Yo creo que si un hombre no permanece en Cristo, sino que anda en la carne, está descalificado para la posición de obispo? episkopos. El caminar en la carne describe un estilo de vida. Satanás está al acecho para destruir a cualquiera con un ministerio efectivo, y yo creo que todos nosotros somos capaces de tropezar. Como Jesús le dijo a Pedro: *Simón, Simón, he aquí Satanás os ha pedido para zarandearos como trigo, pero Yo he rogado por ti, que tu fe no falte; y tú, una vez vuelto, confirma a tus hermanos* (Lucas 22:31-32).

Pedro respondió: *Aunque todos se escandalicen de Ti, yo nunca me escandalizaré* (Mateo 26:33). Lo qué estaba diciendo era: Señor, aunque todos te abandonen ¡Yo nunca te abandonaré, Señor! ¡Yo moriría por Ti! Esta autosuficiencia tenía que ser tratada antes de que él pudiera darse cuenta de su dependencia total del Espíritu Santo. Esto era algo en su vida que tenía que ser tratado, y es algo que tenemos que tratar en la vida de todos nosotros. Cuando tenemos áreas de autosuficiencia, el Señor nos muestra gradualmente que no podemos hacer nada por nosotros mismos. Como Pablo dijo: *Y yo sé que en mí, esto es, en mi carne, no mora el bien* (Romanos 7: 18a). Así que cuando pensamos que somos la excepción de la regla, el Señor deja que tropecemos, para enseñarnos nuestra dependencia total en Él.

Cuando caminamos en la carne y decidimos vivir en ella, nos descalificamos para asumir posiciones de servicio. Pero si tomamos las palabras *sin culpa* en un sentido literal, entonces todos deberíamos empacar y conseguir un trabajo vendiendo automóviles. Yo creo que arrepentirse es la clave. El verdadero arrepentimiento. Y una vez que existe un verdadero arrepentimiento, hay perdón, y la restauración puede comenzar. Tiene que haber un verdadero arrepentimiento, un genuino alejamiento del pecado.

He observado que aquellas iglesias que siguen el gobierno de los *presbíteros*—ancianos, muchas veces no buscan realmente a un pastor, sino a un asalariado. Su idea de un pastor es: "Alguien que venga a bailar al compás de nuestra canción. Nosotros tiraremos de las cuerdas, y si responde y reacciona, será un empleado leal; pero si se atreve a querer dar un paso por sí solo, entonces ya es algo completamente diferente."

Antes de venir a Calvary Chapel, empecé una iglesia independiente en la ciudad de Corona, California, que fue fruto de un estudio bíblico. Algunos de los hombres que participaban en el estudio, decidieron formar una corporación, que llamaron Asociación Cristiana de Corona. Y constituyeron la corporación de manera que la gente pudiera diezmar en ella y comenzara a recaudar fondos, principalmente para colocar los estudios que daba en la radio de Corona, California. Estos hombres eran los oficiales de la corporación. Así que comenzamos un programa radial que inmediatamente trajo un gran número de personas.

Yo deseaba dejar la denominación en la que estaba involucrado y volverme independiente. Estos hombres me invitaron a comenzar una iglesia en Corona, lo cual hice. Comenzamos el Centro Cristiano de Corona. Fue bendecido de Dios. Yo vivía aún en Newport Beach, y los domingos, para llegar hasta allá, recorría una distancia de cincuenta kilómetros. Pasábamos el día allí y regresábamos a casa el domingo en la noche. Un domingo en la tarde, estando con mi familia en el salón de la Legión Americana que alquilábamos, decidí poner las sillas en círculo en vez de hileras. Así que removí el púlpito y formé un gran círculo de sillas. Conforme la gente fue llegando, se sentó en círculo, como en los estudios bíblicos en casa. En vez de cantar tres himnos del himnario, acompañados por el órgano y el piano, sólo cantamos coros. Yo dirigí a capela la alabanza. Después tuvimos un tiempo de oración (lo llamábamos "oración dirigida": Traíamos un motivo de petición y la gente en el círculo oraba). Luego enseñé sentado en la silla, de una manera informal.

Sentí que era dirigido por el Espíritu Santo y que era muy dinámico. Quiero decir que era emocionante. Esa noche hubo hermanos que dirigieron la oración, pese a que nunca antes habían orado públicamente. Muchos de ellos fueron realmente tocados y cambiados.

Sin embargo, los miembros del Consejo se reunieron posteriormente para una sesión especial. A la mañana siguiente me llamaron. Querían saber qué era lo que estaba haciendo. Me dijeron que no querían que hiciera eso otra vez. En ese momento pensé: "Bueno, yo que creía que éste iba a ser el ministerio de mi vida. Pero no lo será. No voy estar sometido a esta clase de restricciones. Debo estar dispuesto a ser guiado por el Espíritu."

Por ello, cuando vinimos a Calvary Chapel y fijamos los estatutos, no establecimos una forma de gobierno presbiteriana, dirigida por los ancianos, sino más bien una forma de gobierno de *episkopos*, dirigida por el obispo. Creemos que el modelo de Dios es que el pastor sea dirigido por el Señor y ayudado por los ancianos, para descubrir la mente y la voluntad de Jesucristo para Su iglesia. Esto, a su vez, es implementado por los pastores asistentes.

CAPÍTULO TRES

RECIBIENDO PODER POR EL ESPÍRITU

Pero recibiréis poder, cuando haya venido sobre vosotros el Espíritu Santo, y Me seréis testigos en Jerusalén, en toda Judea, en Samaria, y hasta lo último de la tierra.
Hechos 1:8

Otro distintivo de Calvary Chapel es nuestra posición en torno al Espíritu Santo. Creemos que hay una experiencia de poder dada por el Espíritu Santo a la vida del creyente, y que ésta es distinta de la que tiene lugar al momento de la conversión, cuando el Espíritu viene a morar en el creyente. Pablo les preguntó a los efesios si habían recibido el Espíritu Santo cuando creyeron o después de que creyeron. No importa la traducción que escoja, las Escrituras enseñan claramente que, aparte de la salvación, existe una experiencia diferente con el Espíritu Santo.

Cuando Felipe fue a Samaria para predicar sobre Cristo, muchos creyeron y fueron bautizados. Cuando la iglesia en Jerusalén oyó que los samaritanos habían recibido el Evangelio, ellos enviaron a Pedro y Juan: *Los cuales, habiendo venido, oraron por ellos para que recibiesen el Espíritu Santo; porque aún no había descendido sobre ninguno de ellos, sino que solamente habían sido bautizados en el nombre de Jesús* (Hechos 8:15-16). Una vez más vemos una experiencia del Espíritu Santo separada y distinta de la conversión.

En el segundo capítulo de Hechos, cuando la gente preguntó: *Varones hermanos, ¿qué haremos? Pedro les dijo: Arrepentios, y bautícese cada uno de vosotros en el Nombre de Jesucristo para el perdón de los pecados; y recibiréis el don del Espíritu Santo* (Hechos 2:37b-38). Pablo se convirtió en el camino a Damasco, y Ananías vino a él y le impuso las manos para que recibiera la vista y fuese lleno del Espíritu Santo (Hechos 9).

Nosotros creemos que existe una experiencia de poder dada por el Espíritu Santo separada y distinta de la conversión. Aceptamos una triple relación entre el Espíritu Santo y el creyente, representada por tres preposiciones griegas: *para, en y epi*.

En Juan 14, Jesús dijo a los discípulos: *Y Yo rogaré al Padre, y os dará otro Consolador, para que esté <u>con</u> vosotros para siempre: El Espíritu de verdad, al cual el mundo no puede recibir, porque no le ve, ni le conoce, pero vosotros le conocéis, porque mora <u>con</u> vosotros, y estará <u>en</u> vosotros* (Juan 14:16-17). *Con*, en las frases *con vosotros*, se refiere a la relación *para* en el griego, que significa-estar a un lado de. La relación *en*, en la frase *en vosotros*, equivale a nuestra palabra en español-dentro; Él morará dentro de vosotros.

Creemos que el Espíritu Santo está *para*-con una persona antes de su conversión. Él es quien lo redarguye de su pecado, convenciéndole de que Jesucristo es la única respuesta. El Espíritu Santo testifica constantemente de pecado, justicia y juicio por venir. También creemos que en el momento en que una persona recibe el testimonio del Espíritu Santo, Jesús le quita sus pecados. Creemos que cuando alguien invita a Jesús a venir a su corazón, para tomar el mando y control de su vida, en ese momento el Espíritu Santo viene a morar *en*-dentro la vida de esa persona. Él está con cada uno de nosotros para llevarnos a Cristo, y cuando venimos a Cristo, Él empieza a morar dentro de nosotros.

Pablo dijo: *¿O ignoráis que vuestro cuerpo es templo del Espíritu Santo, el cual está en vosotros, el cual tenéis de Dios, y que no sois vuestros? Porque habéis sido comprados por precio . . .* (I Corintios 6:19-20a). Él también le dijo a los efesios: *No os embriaguéis con vino, en lo cual hay disolución, antes bien sed llenos del Espíritu* (Efesios 5:18). Por eso, creemos que cada creyente, hijo de Dios, nacido de nuevo, tiene al Espíritu Santo morando dentro de él, y está obligado por las Escrituras a rendir su cuerpo al control del Espíritu Santo y a ser constantemente lleno del Espíritu Santo.

También creemos que el Espíritu Santo, al morar dentro del creyente, provee el poder necesario a su vida para vencer el pecado y la carne. Somos enseñados a caminar en el Espíritu y no en la carne. El que camina en el Espíritu no satisface los deseos de la carne. El Espíritu Santo es el poder sobre la vida carnal. Nos da poder sobre nuestra naturaleza caída. Es el poder en nuestra vida para transformarnos a la imagen de Jesucristo. *Por tanto, nosotros todos, mirando a cara descubierta como en un espejo la gloria del Señor, somos transformados de gloria en gloria en la misma imagen, como por el Espíritu del Señor* (II de Corintios 3:18). Así, vemos el poder transformador del Espíritu dentro de nosotros, el cual viene cuando aceptamos a Jesús. Él empieza esta obra de transformación en nosotros a la imagen de Jesucristo.

Creemos que hay una tercera relación que el

creyente puede tener y que ésta es distinta de las dos primeras. En Hechos 1:8, leemos esta promesa: *Pero recibiréis poder, cuando haya venido sobre vosotros el Espíritu Santo, y me seréis testigos en Jerusalén, en toda Judea, en Samaria, y hasta lo último de la tierra.* Esta relación se da cuando el Espíritu Santo viene *sobre* usted. La palabra griega usada es *epi,* que significa-sobre o encima. Prefiero la traducción-rebosar, porque creo que esta experiencia permite al Espíritu Santo fluir a través de nuestras vidas. Entonces nuestras vidas no son sólo unas vasijas que contienen al Espíritu, sino canales a través de los cuales el Espíritu fluye para tocar el mundo alrededor nuestro. También creo que ésta es la obra externa, objetiva, del Espíritu. La primera obra es interna, subjetiva, porque los cambios y transformaciones tienen lugar dentro de uno. Esta experiencia de venir sobre, provee una evidencia externa del poder dinámico del Espíritu Santo, y nos permite ser testigos eficientes para Jesucristo. Este es el ideal y el plan de Dios: Que nuestra vida sea el instrumento a través del cual Él pueda alcanzar al mundo que nos rodea, conforme el Espíritu fluye a través de uno y su dinámica se manifiesta en nuestra vida.

Encontramos en el Nuevo Testamento que Jesús: *Habiendo dicho esto, sopló sobre Sus discípulos y les dijo: Recibid el Espíritu Santo* (Juan 20:22). Creo que cuando Jesús sopló sobre ellos y dijo: *Recibid el Espíritu Santo,* ellos recibieron el Espíritu Santo.

Algunas personas dicen: "Bueno, esto fue sólo un acto simbólico." ¡Muéstrenme la Escritura en la que se dice que sólo fue simbólico! ¿Por qué Juan no dijo: Bueno, Él hizo algo simbólico aquí? No hay fundamento bíblico para sostener que fue solamente una acción simbólica. Creo que en ese momento los discípulos nacieron de nuevo por el Espíritu de Dios.

Entonces Jesús dijo a Sus discípulos que esperaran

en Jerusalén hasta que recibieran la promesa del Padre acerca de la cual Él les había hablado: *Porque Juan ciertamente bautizó con agua, más vosotros seréis bautizados con el Espíritu Santo dentro de no muchos días* (Hechos 1:5). También dijo: *Pero recibiréis poder* [dunamis], *cuando haya venido sobre* [epi] *vosotros el Espíritu Santo...* (Hechos 1:8a). Ellos necesitaban ese rebosar del Espíritu para servir al Señor eficazmente.

Creemos que ésta es la experiencia a la cual Jesús se refirió en Juan 7 cuando, en el gran día de la Fiesta de los Tabernáculos, se levantó y dijo a la multitud: *Si alguno tiene sed, venga a Mí y beba. El que cree en Mí, como dice la Escritura, de su interior correrán ríos de agua viva* (Juan 7:37b-38). Y Juan, haciendo el comentario, escribió: *Esto dijo del Espíritu que habían de recibir los que creyesen en Él, pues aún no había venido el Espíritu Santo porque Jesús no había sido aún glorificado* (Juan 7:39). Este *epi*–venir sobre, ha sido denominado como bautismo del Espíritu Santo o rebosar del Espíritu. ¿Qué clase de llenura es ésta? Es igual a un torrente de agua viva que brota de la vida del creyente.

Así que, una cosa es ser lleno del Espíritu, y otra muy distinta tener al Espíritu fluyendo. Recibir al Espíritu es una experiencia poderosa y dinámica, pero tiene que haber ese fluir del Espíritu en nuestra vida para influir y tocar a otros a nuestro alrededor.

Jesús hizo tres promesas acerca del Espíritu: Él está con usted, Él estará en usted, y recibirá el poder cuando Él venga sobre usted. El Espíritu Santo esta con nosotros antes de la conversión. Es el Espíritu Santo quien convence al mundo de pecado, justicia y juicio. Es el Espíritu Santo el que trae convicción de pecado a su corazón. Es el Espíritu Santo quien lo atrae a Jesucristo y le muestra que Jesús es la única respuesta para su pecado. Es el Espíritu Santo el que, una vez que lo ha atraído a Cristo, cuando usted abre la puerta, viene a su vida y comienza a morar dentro de usted. El poder del Espíritu Santo que mora dentro de usted transforma su carácter a la imagen de Jesucristo. El Espíritu Santo lo ayuda a vivir la vida cristiana y lo transforma a Su imagen. Él hace por usted lo que usted no puede hacer por sí mismo.

Como Pablo dijo: *Por tanto, nosotros todos, mirando a cara descubierta como en un espejo, la gloria del Señor, somos transformados de gloria en gloria en la misma imagen, como por el Espíritu del Señor* (II Corintios 3:18). Él también dijo: *¿O ignoráis que nuestro cuerpo es templo del Espíritu Santo, el cual está en vosotros, el cual tenéis de Dios, y que no sois vuestros? Porque habéis sido comprados por precio; glorificad, pues, a Dios en vuestro cuerpo, y en vuestro espíritu, los cuales son de Dios* (I Corintios 6:19-20). Por medio de la obra de salvación de Dios, mi cuerpo ha venido a ser el templo del Espíritu. Él está morando dentro de mí, y tiene el poder para cambiarme y ser conformado a la imagen de Jesucristo.

Es el deseo del Señor fluir a través de nuestra vida. Una cosa es llenar un vaso con agua, pero otra es vaciarlo. Una cosa es tener al Espíritu Santo llenando su vida y otra cosa es dejar que el Espíritu Santo fluya de su vida. Esta es la dinámica necesaria para el ministerio. Incluso a los discípulos no se les permitió servir en el ministerio hasta que hubieran recibido esta dinámica del Espíritu. *Y estando juntos, les mandó que no se fueran de Jerusalén, sino que esperasen la promesa del Padre, la cual les dijo oísteis de Mí* (Hechos 1:4). La promesa del Padre es esta dinámica del Espíritu Santo. Esta es la experiencia *epi*–el venir sobre.

Usualmente, esta experiencia se produce aparte de la salvación, pero también puede ocurrir de manera simultánea, igual que en el caso de Cornelio y su casa. Mientras Pedro hablaba, el Espíritu Santo vino *epi*-

sobre ellos, y comenzaron a hablar en lenguas (Hechos 10:44-48). Así que los apóstoles decidieron que si Dios los había bautizado con el Espíritu, también deberían permitirles que sean bautizados con agua.

Por lo tanto, creemos que hay una experiencia con el Espíritu Santo que es distinta a la conversión y al morar en nosotros. Algunos lo llaman bautismo; otros, ser llenos del Espíritu. Como sea que lo llamemos, lo que significa es estar rebosando del Espíritu. Usted puede llenar un vaso, pero si continúa vertiendo en él, el contenido se va a derramar. Esto es distinto a estar sólo llenos. Esto es rebosar en el Espíritu. Algunos lo llaman don del Espíritu; otros, poder del Espíritu. No importa cómo lo llame, lo primordial es que lo tenga. Podemos argumentar sobre términos teológicos, pero la experiencia es descrita como un torrente de agua viva que brota de lo más íntimo de nuestro ser. De modo que no importa qué nombre le ponga. La gran pregunta que debemos hacer referente a la necesidad de esta vital experiencia de poder para el ministerio es simple: ¿Lo tiene?

CAPÍTULO CUATRO

EDIFICANDO LA IGLESIA A LA MANERA DE DIOS

. . . No con ejército, ni con fuerza, sino con Mí Espíritu, ha dicho Jehová de los ejércitos.
Zacarías 4:6

Otra característica distintiva de Calvary Chapel es nuestro estilo casual e informal. Nosotros no nos involucramos con el sensacionalismo espiritual. No tratamos de motivar carnalmente a la gente, y no solemos gritar en la congregación. Yo creo que esto nace de nuestra creencia y confianza en Jesucristo y en el Espíritu Santo. Somos de la creencia que: *Si Jehová no edificare la casa, en vano trabajan los que la edifican. . .* (Salmo 127:1a). Así que, realmente todo nuestro ímpetu y esfuerzo no van a hacer la obra. Nosotros simplemente confiamos en el trabajo del Espíritu Santo, y en Jesucristo que está construyendo Su iglesia como Él dijo que lo haría.

Si tenemos la completa certeza de que es Su iglesia,

que Él va a edificarla, y que Él va a hacer Su trabajo, entonces todo lo que yo tengo que hacer es serle fiel. Simplemente necesito observar Su trabajo, y entonces la presión deja de estar sobre mí. Yo, no me acelero o presiono porque la obra de Dios no es mí responsabilidad. No es mi iglesia, es Su iglesia. Yo creo que es muy importante recordar esto, porque si trata de llevar el peso y sostener la carga, descubrirá que es demasiado grande. Se encontrará bajo la presión de crear planes y entretenimientos, y entonces empezará a presionar y a manipular a la gente. Este no es el estilo de Calvary Chapel.

En 1969, nosotros compramos un terreno de 6 mil metros cuadrados, justo a una cuadra del lugar donde actualmente nos reunimos, en la esquina de las calles Sunflower y Greenville. En el lugar había una vieja escuela rural. La desmantelamos y usamos los materiales para construir nuestra pequeña iglesia. Debido a que usamos los materiales existentes, pudimos construir la iglesia con $40.000 dólares, incluyendo las bancas. Después de dos años la iglesia ya no era adecuada. Teníamos tres servicios, colocando hasta quinientas sillas en el patio, y la gente se estacionaba más allá del edificio de Los Ángeles Times hasta la autopista sobre la calle Fairview. Nos dimos cuenta que teníamos que hacer algo.

En ese entonces, el terreno que Calvary Chapel ocupa actualmente, se puso a la venta. Una persona en la iglesia era corredor de inmuebles. Él había reunido a un grupo que compró esta propiedad de 4.5 hectáreas, planeando obtener una ganancia. Ellos estuvieron especulando en esto y tenían varias ofertas pendientes, pero la ciudad de Santa Ana rechazó todas las propuestas del uso del terreno. Tenían una deuda vencida de $350.000 dólares sobre la propiedad y no estaban en la capacidad de poder pagarla. Habían dejado de pagar los intereses mensuales a la señora que era dueña de la propiedad, y finalmente la perdieron.

El corredor de inmuebles de nuestra congregación que estaba involucrado vino a verme y me sugirió que la iglesia comprará la propiedad. Mi respuesta fue: "Bueno, ¿y qué vamos a hacer con las 4.5 hectáreas?" Él sugirió que podríamos vender la mitad de ella. Entonces otra persona de la iglesia vino y me dijo que él estaba seguro que podíamos adquirir el terreno por $300.000 dólares. Yo le dije: "¡Esto es ridículo! No hay manera de que la dueña venda el terreno por $300.000 dólares pues acaba de cerrar una hipoteca de $350.000 dólares ¿Por qué lo vendería a $300.000 dólares?" Entonces él dijo: "Bueno, yo sé algunas cosas acerca de la situación de la señora. Ella ha estado pagando los impuestos con los pagos del interés que estos individuos le estuvieron dando. Puesto que ellos no le han hecho ningún pago, ella realmente no tiene el dinero para pagar los impuestos. Tiene cerca de ochenta años y necesita el dinero en efectivo, yo pienso que si le hacemos una oferta de $300.000 dólares en efectivo, ella la aceptará."

Yo dije: "Esto suena increíble, ¿pero de dónde conseguiremos los $300.000 dólares en efectivo?" Él contestó: "Si lo compramos en $300.000 dólares, entonces se puede hacer un préstamo por la mitad de esa suma en la oficina de préstamos y ahorros. Ellos prestarán el cincuenta por ciento sobre la propiedad, y nosotros tenemos $110.000 dólares en el banco, y yo prestaré $90.000 dólares libres de interés, por un año." Yo le dije: "Bueno, ella nunca aceptará la oferta." Entonces él me dijo: "¿Me daría permiso para ofrecérsela a nombre de la iglesia?" "Seguro," le contesté. Poco tiempo después él me llamó, y dijo: "Chuck, ella aceptó." Lo primero que pensé fue "¡Maravilloso!" Pero, ¿ahora qué hago?

En aquel entonces la calle Fairview había sido terminada hasta Sunflower. Yo solía manejar hasta la esquina de Fairview y Sunflower en camino a la otra iglesia. Mientras esperaba la luz verde para dar vuelta a la izquierda, miraba a este enorme terreno, y comenzó a darme miedo. Yo pensé: "Sabes, Dios ha sido bueno con nosotros. Hemos pagado todas nuestras deudas, y no debemos nada. Tenemos $60.000 dólares en el banco, tenemos una reserva y las cosas van tan bien. ¿Qué le estoy haciendo a este rebaño de gente, endeudándolos además de tener que edificar sobre este terreno? ¿Qué estoy haciendo? ¿Dónde tengo la cabeza?

Sudaba frío tratando de descifrar este asunto. Entonces el Señor me hablaba a mí corazón diciendo: "¿De quién es la iglesia?" Yo respondía: "Es Tú iglesia," entonces Él me contestaba: "Bueno, ¿Por qué te preocupas de una bancarrota?" Pensaba: "¿Por qué me preocupo? Yo no soy quien va a la quiebra, el Señor es Quién va a la quiebra," entonces ¿de qué me preocupo? Entonces Él decía: "¿Quién creo el problema?" Y yo le respondía: "Tú lo creaste, Tú eres Él que trajo a toda la gente, Tú creaste este problema de la necesidad de más espacio." Así, Él me aseguró que era Su iglesia y Su problema. Él creó esta situación. Entonces me sentía mejor, hasta la siguiente vez en que me detuve en la esquina y miré la propiedad. Yo soy un poco difícil de convencer, así que este proceso continuó por un período de tiempo.

El reconocer que nuestra congregación era Su iglesia me aliviaba la carga. No tuve que llevar yo mismo el peso, y pude permanecer tranquilo. Esta era Su iglesia, así que Él cuidaría de ella. Jesús dijo: *Sobre esta Roca edificaré Mi iglesia* (Mateo 16:18). Él no dijo: "Sobre esta Roca tú edificarás Mí iglesia." Tenemos que reconocer que es Su iglesia y Él es Quien dijo que la edificaría. Cuando Jesús le pregunta a Pedro: *¿Me amas?* Pedro respondió: *Si, Señor, Tú sabes que te amo* (Juan 21:16). Jesús entonces no dijo: "Ve y edifica Mi iglesia," Él dijo: *Apacienta Mis ovejas,* esto es, "atiéndelas y cuídalas." Es Su trabajo el añadir a la iglesia, es Su trabajo edificar la iglesia. Mi trabajo es solamente amar a las ovejas, cuidarlas, velar por ellas, alimentarlas, atenderlas, y confiar en que el Señor edifique la iglesia y añada a los que han de ser salvos.

Hemos descubierto que cuando nos empeñamos en obtener, entonces nos vemos obligados a mantener lo que hemos ganado. Si realmente empujó y presionó para obtenerlo, ahora tiene que mantenerlo en marcha. Es difícil mantener un programa hecho o construido por el hombre.

Hace mucho tiempo, me encontraba en una denominación, estaba bajo presión respecto al crecimiento de la iglesia. Usaba toda clase de tretas que me eran ofrecidas y sugeridas. Había programas de crecimiento para la iglesia y diversos tipos de concursos. Yo los intenté todos en un esfuerzo para edificar la iglesia. Personalmente descubrí que cuando uno lucha para ganar, entonces uno debe luchar en mantenerlo. Cuando uno no combate para ganar, no tiene que combatir en mantener el ministerio. Si la obra es del Señor, si Él lo ha hecho, y Él ha agregado, entonces no tiene que pelear para mantenerlo en marcha. Es esa lucha para mantenerse que acabará por consumirlo en el ministerio. Esto lo matará. Este es el factor que rápidamente lo traerá por tierra, lo conducirá a toda clase de experiencias equivocadas. Porque se ha obstinado en ganar toda esta concurrencia, ahora tiene un gentío, que debe luchar en retener, y esto puede ser algo realmente difícil.

A través del país vemos muchas iglesias grandes que han sido el resultado de tremendos programas de crecimiento, pero tienen que mantener estos programas en marcha. Tienen que mantenerlos aceitados y engrasados o el ministerio comienza a caerse. Entonces, todo el estímulo y lucha que se requiere para mantener el programa definitivamente lo matará. Existe un gran número de súper iglesias hoy, pero también hay un gran número de líderes cansados, a causa de su lucha en mantener lo que ellos han construido.

Al luchar para ganar, no sólo significa involucrarse en el último programa existente para el crecimiento de la iglesia y obtener buenos resultados. Esto también puede suceder en un ambiente espiritual exaltado, donde el crecimiento de la iglesia es creado por la exaltación emocional y espiritual exagerando los dones del Espíritu Santo.

Una vez más tiene una situación muy difícil, porque si usa este sensacionalismo espiritual para atraer y reunir una multitud, ha iniciado un camino cuesta abajo por una calle de un sólo sentido que solamente le traerá más problemas conforme continúe. Si atrae a las personas a través de lo sobrenatural y lo espectacular, y si esto es su fuerte, entonces tiene que continuar en esto, para obtener otras experiencias espirituales o exóticas y así retener al grupo que a reunido a través de esta clase de fenómenos.

Hay algo acerca de nuestra naturaleza humana que sin importar cuán atractiva o exótica una experiencia pueda ser, nos cansamos pronto de ella y queremos algo más, un nuevo giro, un nuevo ángulo, una nueva atracción al poder. Parece ser como que tomara más y más esfuerzo para mantener el mismo nivel de emoción y estímulo.

Un caso puntual: Mi experiencia con los botes comenzó años atrás con una pequeña lancha 4 metros de eslora y un motor Johnson de 25 caballos de fuerza. Esto era emocionante. Aprendimos a esquiar. Alguien tenía que sentarse al final de la proa para mantenerla baja y así subir al esquiador en alto, de esta forma aprendimos a esquiar. Fue maravilloso durante el primer verano. Durante el invierno compramos un bote Javelin, le pusimos fibra de vidrio al casco y lo arreglamos. ¡Tenía 4.5 metros de largo con un gran casco! Pero entonces el pequeño motor Johnson de 25 caballos de fuerza, no podía con el casco Javelin, así que conseguimos un motor Mercury 55E, y esto fue mucho mejor. Nadie tenía que ir en el frente para levantar al esquiador. ¡Esto era maravilloso! Pero, para el final del verano habían botes que nos pasaban, así que cambiamos el Mercury 55E, por un Mercury 75E. Pero entonces el casco Javelin de 4.5 metros no era lo suficientemente apropiado para el Mercury 75E. Yo reflexioné, "un motor externo está bien, pero mejor necesitamos un motor interior," así que conseguimos un motor Chevy 354. ¿Cuándo es que finalmente todo se termina? Afortunadamente me detuve, pero siempre hay algo más. Era un motor un poquito más grande y un poco más fino.

Eso mismo ocurre con la atracción generada por la emoción espiritual, sólo se pueden oír un cierto número de: "Así dice, Él Señor" hasta que ellos ya no tengan el mismo impacto o entusiasmo como al principio. Por lo cual tienen que mantenerse haciendo algo nuevo, algo diferente. Por último llegará al punto donde se reirán incontroladamente o ladrarán como un perro, o rugirán como un león. Observe como algunas iglesias han ido de una práctica extravagante a otra, a otra, y a otra. Es un asunto insaciable. Usted se aparta de lo legítimo, y comienza a recurrir a lo ilegítimo. Tiene que mantener esa ansiedad por lo novedoso y raro; y diferentes tipos de experiencias que continuarán dando la misma clase de ímpetu espiritual que la gente ha deseado y ha anhelado.

En Calvary Chapel no existe este alboroto. Nosotros no estamos en la búsqueda carnal de nuevos programas o emociones espirituales para tratar de atraer a la gente. Es en la Palabra de Dios en la que confiamos, la que enseñamos y en la que nos apoyamos. Es el fundamento sobre el cual estamos edificados, es inagotable, no consume, ella se mantiene andando y siempre caminando.

Es por esta razón, que tenemos un estilo informal y casual que se refleja en nuestro ministerio. Es Su iglesia, así que no tenemos que sudar. Nosotros realmente no acudimos a seminarios sobre cómo edificar una iglesia, cómo crear una iglesia amistosa a los que atiendan, o cómo desarrollar un plan de cinco años. ¡Quién sabe si estaremos aquí en los próximos cinco años! ¡Vamos a ministrar hoy!

Fui invitado a participar en un seminario para líderes en Phoenix, Arizona a un grupo de estrategas sociales que estudian varias tendencias sociales y desarrollan planes para la iglesia a medida que entramos al nuevo milenio. Algunos hombres prominentes se encontraban en este panel discutiendo estrategias. ¿"Cómo vamos a enfrentar las necesidades para el futuro y desarrollar estrategias correctas para la iglesia?" Bueno, yo incomodé al moderador porque dije: "Yo tengo esta filosofía," "si no está roto, no lo repare." Dios continúa bendiciendo la enseñanza de Su Palabra, la iglesia continúa creciendo, el Señor continúa añadiendo diariamente y Él honra Su Palabra como Él dijo que lo haría. Estoy satisfecho de que mientras Dios siga bendiciendo la Palabra, yo me mantendré enseñando la Palabra de Dios. ¿Por qué debo cambiarla? ¿Por qué debo modificarla cuando funciona? Si llegase el día en que no funcione más, entonces la Palabra de Dios ha fallado. Así que, ¿por qué enseñarla?"

Por cierto, el moderador estaba muy molesto con esto y el resto del día estuvimos intercambiando comentarios punzantes 'de aquí' y 'de allá.' Es muy interesante, que nunca me invitaron a hablar otra vez en esas maravillosas conferencias.

He descubierto que al momento en que termino el estudio a través del Antiguo Testamento, estoy hambriento y listo para empezar en el Nuevo Testamento. Después de que he finalizado el Nuevo Testamento me es emocionante el volver otra vez a Génesis en el Antiguo Testamento. Esto va en aumento cada vez que lo hacemos. Usted gana y aprende mucho más, ha sido enriquecido, así como la iglesia. Esto no envejece, ni se echa a perder. Nunca lo lleva al lugar donde usted tiene que encontrar alguna nueva clase de treta, intriga o experiencia. Es solamente la Palabra de Dios, la cual es viva y eficaz, ministra al espíritu de las personas.

CAPÍTULO CINCO

GRACIA SOBRE GRACIA

*Porque buena cosa es afirmar el corazón con la
gracia . . .*
Hebreos 13:9

Respecto a la gracia de Dios, Calvary Chapel tiene
una posición definida. Nosotros reconocemos que sin la
gracia de Dios ninguno de nosotros tendría una
oportunidad. Necesitamos la gracia de Dios en
nuestras vidas. La necesitamos diariamente. Somos
salvos por ella y la experimentamos en forma personal.
Pero también permanecemos en la gracia. Creemos en
el amor y la gracia que buscan restaurar a la persona
que ha caído.

Hay algunas iglesias que tienen una severa
ausencia de la gracia de Dios. Frecuentemente tienen
un legalismo riguroso, inflexible y severo que no deja
lugar al arrepentimiento y a la restauración. Se
asombraría de las críticas que he recibido por querer
ayudar a restaurar a quienes han caído. Cuando veo a
un talentoso siervo de Dios caer ante los engaños del

enemigo, me enojo con Satanás que busca arruinar a algunos de nuestros mejores siervos.

Hemos tomado una fuerte posición con respecto a la gracia. Creemos que la Biblia enseña que Dios es benevolente. Es una de Sus principales características en Su trato con el hombre. Si Él no fuera un Dios de gracia, ninguno de nosotros hubiera tenido una oportunidad. Todos necesitamos de la gracia y misericordia de Dios. Siempre que oro nunca le pido a Dios por justicia, a menos que esté orando por otra persona. Siempre que oro por mí pido, "¡Gracia!" o "¡Misericordia, Señor, misericordia! ¡Ten misericordia de mí! Trata con justicia a la persona que es injusta conmigo, pero, Señor, yo quiero misericordia."

Es interesante que, habiendo recibido misericordia, habiendo recibido gracia, el Señor enfatiza nuestra necesidad de mostrar misericordia y gracia. Él dijo: *Bienaventurados los misericordiosos, porque ellos alcanzarán misericordia* (Mateo 5:7).

Es notable cómo Jesús identifica el perdón con nuestra disposición para perdonar. Esto es cierto en lo que nosotros comúnmente llamamos *La Oración del Señor*. Al final de ésta oración modelo, Él enfatiza sólo una de las peticiones, el ruego que hacemos referente al perdón. *Mas si no perdonáis a los hombres sus ofensas, tampoco vuestro Padre os perdonará vuestras ofensas* (Mateo 6:15).

Jesús nos dio parábolas que tratan de la necesidad de perdonar. En Mateo 18:23-35, vemos el amo que perdonó a su sirviente una deuda de 16 millones de dólares. Sin embargo, éste sirviente fue con un consiervo que le debía solo dieciséis dólares y lo envió a la prisión. El amo llamó luego al primer sirviente y le preguntó: "¿Cuánto me debías? ¿Y no te perdoné? ¿Cómo es que he oído que tú has enviado a éste consiervo a prisión por su deuda,? Él lo entregó a los verdugos . . . "lo reprendió y ordenó que fuera puesto en prisión"... hasta que pagase todo lo que él debía.

Si se nos ha perdonado tanto, ¡sin duda deberíamos perdonar! Habiendo recibido la gracia de Dios, deberíamos manifestar la gracia de Dios a aquellos que han caído. Yo necesito la gracia de Dios diariamente. Yo permanezco en la gracia de Dios. He sido salvado por gracia, no por obras, para que la gloria sea a Dios por lo que ha hecho. No puedo presumir por lo que he hecho. No he hecho nada. No es por obras de justicia, es por Su gracia, que somos salvos.

Éste es el tema que encontramos a través del Nuevo Testamento, por lo tanto es un tema que enfatizamos. Los libros de Romanos y Gálatas son muy significativos porque ambos exponen la gracia de Dios y justicia a través de la fe. Esto está en contraste directo con la justicia personal que uno obtiene a través de las obras de la ley.

Nosotros creemos en buscar y restaurar a quienes han caído, así como Pablo lo enseñó a los gálatas: *Hermanos, si alguno fuere sorprendido en alguna falta, vosotros que sois espirituales, restauradle con espíritu de mansedumbre, considerándote a ti mismo, no sea que tú también seas tentado* (Gálatas 6:1). Yo le doy gracias al Señor por la gracia que he recibido, y habiendo recibido la gracia de Dios, busco extendérsela a otros.

Me enfurezco con Satanás, cuando escucho que un pastor con un don especial ha caído. Aquellos quienes tienen grandes habilidades y grandes talentos para el Señor parecen ser un blanco especial para Satanás. No voy a dejar a Satanás tener una victoria. Trato de reclamar a estos hombres para el reino de Dios para que ellos puedan usar sus talentos para el Señor.

Yo he hecho muchas restauraciones en mi vida. Esto es algo que me gusta hacer. Soy aficionado a restaurar cosas viejas y arruinadas y hacerlas atractivas, es algo que disfruto. Yo tengo un automóvil Ford Skyliner del año 1957, sí lo hubiese visto cuando recién lo obtuve, parecía que estaba listo para el basurero. Pero que satisfacción hay en tener algo así, tomar el tiempo y trabajar en él, desarmarlo, lijarlo, quitarle lo oxidado, pintarlo, armarlo de nuevo, y al fin ver lo que era una chatarra, convertida en un automóvil de colección. Hay un gozo y satisfacción en eso. También, me encanta hacer esto con casas antiguas. Mi hija siempre compra casas para reparar, y me dice: "Papi, ven." Me gusta el poder reconstruir estas casas viejas y repararlas, remodelarlas, hacerlas atractivas, modernas y bellas. Y lo mismo es verdad con las vidas que Satanás ha destruido.

Me gusta cuidar, desarrollar, remodelar y reconstruir vidas que han sido un verdadero desastre. Miren a la mayor parte de los pastores de Calvary Chapel, sus vidas eran una verdadera ruina, pero vean como Dios los ha restaurado, vean la riqueza y el valor que ha surgido de estas vidas. Es una hermosa obra de Dios, el ver lo que el mundo ha desechado y visto como adefesios sin esperanza, ser transformados en gloriosos vasos de honra.

Nosotros creemos que habiendo sido perdonados, necesitamos también perdonar. Nosotros habiendo recibido misericordia, debemos mostrar misericordia. Habiendo recibido gracia debemos mostrarnos benevolentes. El mostrar y extender la gracia de Dios es una parte muy importante en el ministerio de Calvary Chapel.

En el Evangelio de Juan, capítulo ocho, tenemos una interesante historia, Jesús había venido al templo, y en el versículo dos Él se sienta a enseñar. Repentinamente, Su enseñanza fue interrumpida por un gran alboroto. Había un llanto histérico. *Entonces los escribas y los fariseos le trajeron una mujer sorprendida en adulterio; y poniéndola en medio, le dijeron: Maestro, esta mujer ha sido sorprendida en el acto mismo de adulterio* (Juan 8:3-4).

Los enemigos de Cristo estaban tratando constantemente de oponer Su enseñanza a las de Moisés. La gente generalmente reconocía que Moisés fue el instrumento que les trajo la ley de Dios. No había duda acerca de la autoridad de Moisés. Él habló por Dios.

Si Jesús decía algo que fuera contrario a la ley de Moisés, entonces Jesús no podía decir ser de Dios. Esta era toda la controversia en cuanto al divorcio. Ellos cuestionaron a Jesús acerca de cuando un hombre podía repudiar a su esposa por cualquier causa. Jesús les respondió: *Y yo os digo que cualquiera que repudia a su mujer, salvo por causa de fornicación, y se casa con otra, adultera; y el que se casa con la repudiada, adultera* (Mateo 19:9). Respondieron diciendo que Moisés dijo que podían divorciarse sólo escribiendo una carta de divorcio. Ellos pensaron que habían atrapado a Jesús. Entonces Jesús los llevó al tiempo de Moisés y dijo que en el principio no fue así. Moisés, a causa de la dureza del corazón del hombre, dio a las mujeres una carta de divorcio, pero en el principio no fue así.

Una vez más, ellos estaban tratando de ponerlo en oposición con la Ley Mosaica. *Y en la ley nos mandó Moisés apedrear a tales mujeres. Tú, pues, ¿qué dices? Mas esto decían tentándole, para poder acusarle . . .* (Juan 8:5-6a). Esto fue muy obvio. Pero Jesús no dijo nada. Él se inclinó y con Su dedo escribió en la tierra como si ni siquiera los hubiera escuchado.

Ahora bien, ¿qué escribió Él, en la tierra? Realmente no lo sé. Quizá escribió, ¿Dónde está el hombre? Ellos habían dicho: *La sorprendimos en el acto mismo.* Bien, no pudieron atraparla a ella en el acto sin atrapar también al hombre. De acuerdo con la ley de Moisés ambos debían ser apedreados. Si estaban en verdad interesados en guardar la Ley Mosaica, debieron arrastrar también al hombre hasta allí. Tal vez él hombre era su amigo y lo dejaron ir. No fue realmente justicia.

Los enemigos de Jesús estaban enojados. Él sólo escribía en la tierra cómo si los ignorara. Así que insistieron con la pregunta. Finalmente . . . *se enderezó y les dijo: El que de vosotros esté sin pecado sea el primero en arrojar la piedra contra ella* (Juan 8:7). Otra vez se inclinó y escribió en la tierra. Esta vez yo creo saber lo que Él escribió. Él muy bien pudo haber escrito los nombres de los hombres que estaban en pie preparados para condenar, probablemente empezando por él más viejo. Yo pienso que Él comenzó a escribir muchos pecados que el más viejo estuviera cometiendo, a lo mejor una amante que tuvo y Jesús siguió escribiendo en detalle algunas de las actividades en las que hubieran estado involucrados. Finalmente éste hombre dijo: "¡Amigos, me acabo de acordar que mí esposa me pidió llegar temprano a la casa,!" Tengo que irme. Después que se marchó, Jesús escribió el nombre del siguiente hombre más viejo, y comenzó a escribir unas cuantas cosas que él había estado haciendo, hasta que este hombre se marchó. Continuó así uno por uno, desde el más viejo hasta el más joven, hasta que finalmente no quedó nadie. *Enderezándose Jesús, y no viendo a nadie sino a la mujer, le dijo a ella, ¿dónde están los que te acusaban? ¿Ninguno te condenó? Ella dijo: Ninguno, Señor. Entonces Jesús le dijo: Ni Yo te condeno; vete, y no peques más* (Juan 8:10-11).

Que hermosa respuesta de Jesús. *Ni Yo te condeno; vete, y no peques más.*

Cuando hay un accidente de tránsito serio y hay carros chocados, cuerpos de personas golpeadas, cortadas, sangrando, tiradas en la calle, hay dos tipos de vehículos de emergencia que arriban a la escena. El primero en arribar es usualmente la policía, y su trabajo es despejar una zona de seguridad para controlar el tráfico. Entonces sacan sus libretas de apuntes y miran las posiciones en que quedaron los carros. Ellos miden las marcas en el asfalto de las llantas y comienzan a entrevistar testigos.

Su trabajo y preocupación es encontrar quien violó la ley. ¿Quién es culpable por esta tragedia? Su objetivo principal es determinar que leyes fueron violadas y de quien es la culpa de lo ocurrido.

El segundo tipo de vehículo son los paramédicos. No les importa quienes son los culpables. Encuentran personas desangrándose en la calle. Su trabajo es ayudar a las personas que están heridas, controlar su corazón, ponerles vendas, ver si tienen los huesos rotos, ponerlos en la camilla, y subirlos a la ambulancia. No están pensando quien tuvo la culpa. Ellos están allí para ayudar a quienes se encuentran heridos. Del mismo modo, hay dos tipos de ministerios que observo. Los que toman la actitud de policías. Vienen al lugar de la tragedia, encuentran vidas destrozadas, y sacan el libro de reglamentos y les leen la ley. "Usted tiene el derecho de permanecer callado, cualquier cosa que diga podría ser usada en su contra." Están en el lugar en una manera muy legalista tratando de encontrar de quién fue la culpa, a quién acusar para aplicar la ley.

Pero existen ministros que son cómo los paramédicos, que no están tan preocupados con quién quebrantó la ley, sino como pueden sanar. ¿Cómo podemos ayudar? ¿Cómo pueden ministrar a éste cuerpo herido, a ésta vida desecha? ¿Cómo podemos poner las cosas en su lugar? ¿Cómo podemos traer sanidad?

Encontramos en el relato de Juan 8 a los fariseos. Ellos tienen el libro de leyes listo. *Y en la ley nos mandó Moisés apedrear a tales mujeres. Tú pues, ¿qué dices?* (Juan 8:5). Pero Jesús estaba interesado en ministrar, ayudar, reconstruir su vida, y no en condenar . . . *ni Yo te condeno; vete y no peques más* (Juan 8:11b). Su deseo era que vuelva otra vez al buen camino.

Nosotros buscamos ministrar a las personas heridas. Nuestro deseo es verlas restauradas, de nuevo en pie, funcionando otra vez. Juan nos dice que la ley vino por Moisés, pero la gracia y la verdad vinieron por Jesucristo. Si yo voy a ser un ministro de Jesucristo, entonces debo de estar ministrando la gracia. Conforme vemos a las iglesias, y observamos sus ministerios, muchos son primordialmente ministros de Moisés. Ellos son muy severos y legalistas. La ley ha sido quebrantada, y ellos le dirán exactamente lo que dice la ley. Y, sin embargo, encontramos a Jesús diciendo: *El que de vosotros esté sin pecado sea el primero en arrojar la piedra . . . ni Yo te condeno* (Juan 8:7-11).

Ha sido nuestro gozo y privilegio el haber podido restaurar a muchos que fueron condenados por la ley. Yo creo que antes de la restauración, debe de haber un verdadero arrepentimiento. Creo que la intención de la ley era la de ser un maestro para traer gente a Jesucristo. Aquellos que no han venido al arrepentimiento necesitan la ley, por lo tanto la ley tiene su lugar. Es santa, justa, y buena, si se usa lícitamente. Pero pienso que a veces nos vamos más allá y queremos imponer las penalidades de la ley después que ha habido un arrepentimiento. No estamos dispuestos a restaurar. Jesús mantenía la gracia y la verdad. Nosotros debemos buscar siempre la restauración, pero no olvidemos que el arrepentimiento es necesario.

Es increíble ver una vida que ha sido golpeada y lastimada ser de nuevo fructífera para el reino de Dios. Pero la gracia tiene su riesgo. Yo puedo equivocarme al perdonar y mostrar gracia a ciertas personas. Quizá su arrepentimiento no es genuino. Tal vez tengan una intención oculta. Yo he mostrado gracia a personas que siguieron involucradas en el pecado y más tarde me han hecho daño. No soy perfecto. Yo he cometido errores al juzgar y he mostrado gracia a aquellos que no se habían arrepentido verdaderamente de su maldad.

He corrido riesgos, traje personas al liderazgo de la iglesia que supuestamente se habían arrepentido y más tarde los mismos rasgos continuaban allí. Me he equivocado y probablemente cometeré errores en el futuro. Pero, les diré que sí me equivoco prefiero hacerlo en el lado de la gracia que en el lado del juicio.

En Ezequiel 34, el Señor habló en contra de los pastores en Israel. Habían dejado a las ovejas extraviarse y no habían ido a buscar las perdidas. El Señor tenía cosas muy serias que decir en contra de los pastores que no estaban realmente interesados en buscar y restaurar a las perdidas. Creo que Dios será benévolo conmigo y mis errores de gracia, que lo que Él va a ser si fuera de otra manera y condenara a alguien que ÉL ya absolvió y perdonó.

Hay varias Escrituras que nos advierten acerca de juzgar. *No juzguéis, para que no seáis juzgados* (Mateo 7:1). Determinamos los estándares de nuestro propio juicio cuando juzgamos a otros. *¿Tú quién eres, que juzgas al criado ajeno? Para su propio señor está en pie, o cae; pero estará firme, porque poderoso es el Señor para hacerle estar firme* (Romanos 14:4). Yo odiaría errar del lado del juicio, de juzgar falsamente a alguien que se ha arrepentido de verdad. Yo odiaría estar en la posición de cometer una equivocación en mi juicio. Así que una vez más, si me equivoco, quiero equivocarme del lado de la gracia porque yo sé que Dios será mucho más benévolo para conmigo, que si yo me equivocaré juzgando a una persona erróneamente. Yo no quiero ser culpable de esto.

Es fácil caer en el legalismo. Debemos estar alertas

de no caer en esta tentación. Cuidado de ser demasiado severos. He encontrado en la mayoría de los casos, que cuando una persona se mete a fondo en la teología reformada se vuelve muy legalista. La teología reformada tiene algunos puntos buenos, pero un puerco espín también los tiene. Cuando lo abraza demasiado fuerte, entonces puede sentir las puntas.

Algunas personas se oponen porque ellos sienten que yo paso por alto pasajes de las Escrituras y están en lo correcto. Pero el minimizar problemas controversiales es muchas veces deliberado porque usualmente existen dos lados. Y me he dado cuenta que es importante no hacer división y no permitir que la gente sea polarizada en controversias, porque en el momento que ellos se polarizan hay división.

Un ejemplo clásico es el problema de nuestro entendimiento de las Escrituras en lo referente a la soberanía de Dios y la responsabilidad del hombre. La Biblia claramente nos enseña ambas posiciones, pero de acuerdo a nuestro entendimiento humano ambas son mutuamente exclusivas. Gente que se encuentra dividida en este tema aseguran que no podemos creer en ambas, porque si usted lleva la soberanía de Dios hasta un extremo, ella elimina la responsabilidad del hombre. De la misma manera, si usted lleva la responsabilidad del hombre hasta un extremo, elimina la soberanía de Dios. Esta equivocación ocurre cuando una persona toma la doctrina y la lleva a una conclusión lógica. Usando la lógica humana y llevando la soberanía divina a una conclusión lógica deja al hombre sin opciones.

Así que, ¿cómo manejamos con precisión la Palabra referente a la soberanía de Dios y la responsabilidad del hombre? Necesitamos creer en ambas por fe, porque yo no puedo balancearlas con mí entendimiento. No entiendo como ambas se juntan. Pero creo en ambas. Creo que Dios es soberano y también creo que yo soy responsable y que Dios me hará responsable de las decisiones que he tomado. Yo confío simplemente en Dios que ambas aseveraciones de la Escritura son ciertas.

Recientemente un pastor vino con un pequeño folleto sobre el calvinismo, y en la cubierta, aparece una balanza con Juan Calvino en un lado y Juan 3:16 en el otro. ¿Usted de qué lado prefiere permanecer?

No se deje polarizar. No permita que la gente se polarice. Al momento en que lo haga, perderá la mitad de su congregación pues la gente está uniformemente dividida sobre este tema. Si toma una posición polarizada perderá a la mitad de su congregación. ¿Realmente quiere perder al 50% de su congregación?

¿Usted sabe lo hermoso de llamarse Calvary Chapel? La gente no sabe realmente su posición. Llámese bautista y la gente sabrá quien es y quizá no vendrá porque es una iglesia bautista. Llámese presbiteriano y la gente sabrá quien es y la mitad de la gente no vendrá porque, ya saben lo que los presbiterianos creen. Llámese nazareno y seguramente lo encasillarán porque muchas personas ya saben quienes son.

Pero Calvary Chapel tiene su mística al respecto. "¿Qué cree ésta gente?" "No lo sé, entonces vamos a descubrirlo." Y todo el campo es nuestro. Querrá pescar en la laguna más grande que encuentre. Cuando se está comercializando algo, se quiere atraer el mercado atractivo más grande posible. Así que no limite su mercado diciendo: "Bueno, sólo vamos a pescar aquí en este pequeño mercado." Mantenga amplio el mercado. Pesque en la laguna más grande, pesque donde estén mordiendo el anzuelo.

CAPÍTULO SEIS

LA PRIORIDAD DE LA PALABRA

Entre tanto que voy, ocúpate en la lectura, la exhortación y la enseñanza.
I Timoteo 4:13

Otro distintivo fundamental de Calvary Chapel es nuestro empeño a declarar a la gente todo el consejo de Dios. Vemos este principio ilustrado cuando Pablo se reunió con los ancianos de Efeso en Hechos 20. Cuando se encontraban en la costa del Mar Egeo en Mileto, alrededor del área costera de Efeso, Pablo dijo que él era inocente de la sangre de todos los hombres; *porque no he rehuido anunciaros todo el consejo de Dios* (Hechos 20:27).

Ahora, ¿Cómo puede ser posible para una persona asegurar que ha declarado; *todo el consejo de Dios?* La única manera en que una persona pueda hacer esta declaración a su congregación es si les ha enseñado toda la Palabra de Dios, desde Génesis hasta Apocalipsis. Una vez que ha llevado a su congregación a través de toda la Biblia, entonces puede decirles: *Yo no he rehuido anunciaros todo el consejo de Dios.*

Esto no puede hacerse con sermones temáticos. Los sermones temáticos son buenos, y tienen su lugar, pero cuando está predicando temáticamente, por naturaleza uno es propenso a predicar únicamente los temas que le gustan. Hay temas en la Biblia que no son muy inspiradores, no entusiasman a la gente, pero son asuntos necesarios que tienen que ser tratados. La tendencia humana, sin embargo, es la de evitarlos. Si predica sólo temáticamente, también tiende a eludir temas controversiales o difíciles y la gente no ganaría una perspectiva bien balanceada de la verdad de Dios. Así que el valor de ir directamente a través de la Biblia es que usted pueda decir: *Yo no he rehuido anunciaros todo el consejo de Dios.*

Ahora bien, creo que puedo decirle a la gente de Calvary Chapel en Costa Mesa, California: *Yo no he rehuido anunciaros todo el consejo de Dios,* porque hemos ido a través de la Palabra desde Génesis hasta Apocalipsis siete veces. Estamos empezando actualmente el octavo recorrido. No pasamos por alto nada. Y esta es la razón por la cual en la mayoría de las iglesias Calvary Chapel, y las más exitosas, usted encontrará la enseñanza de toda la Palabra de Dios en una forma sistemática, a través de la Biblia de principio a fin.

El ministerio de enseñaza de Calvary Chapel en su mayor parte es de un estilo expositivo. Esto no quiere decir que en ocasiones no hablemos de un tema en particular o demos mensajes temáticos. No estamos diciendo que los mensajes temáticos estén equivocados o sean malos, estos mensajes tienen su lugar. No queremos caer en un legalismo estricto en el que analizamos cada sermón para ver si fue homileticamente correcto y presentado en forma expositiva. Pero, la mayoría de las veces, buscamos seguir el ejemplo de Isaías que dijo: *La Palabra, pues, de Jehová les será mandamiento tras mandamiento, mandato sobre mandato, renglón tras renglón, línea sobre línea, un poquito allí, otro poquito allá* . . . (Isaías 28:13). Estos versículos describen la reacción de la gente al estilo de enseñanza de Isaías.

Ellos se burlaban de su método, pero era un método efectivo. Ellos se quejaban de él, burlándose decían que él debía volver a enseñar a niños pequeños pues su enseñanza era *mandamiento tras mandamiento, renglón tras renglón, línea sobre línea, un poquito allí, otro poquito allá* (Isaías 28:10). Ellos decían estas palabras burlándose. No obstante, es muy importante llevar a la gente a través de la Palabra, línea por línea, precepto por precepto. Cuando hacemos esto, estamos llevándoles todo el consejo de Dios.

Otra de las ventajas de enseñar todo el consejo de Dios es que cuando se llega a temas difíciles que tratan con problemas en la vida de un individuo o dentro de la iglesia, usted puede dirigirse a ellos directamente. No necesitamos preocuparnos que la gente piense: "Oh no, él se está dirigiendo a mí hoy." La gente en la congregación sabe que es simplemente el pasaje de la Escritura que toca ese día. Así que, no piensan, se está refiriendo a mí, porque ellos se dan cuenta que usted está predicando a través del Libro, y que no está brincando de tema en tema. Nosotros simplemente vamos directamente a través de toda la Palabra de Dios.

El libro de Nehemías relata que, cuando los hijos de Israel habían regresado de la cautividad y estaban reconstruyendo la ciudad, los líderes reunieron a la gente y construyeron una pequeña plataforma. Ellos comenzaron temprano en la mañana a leer la Palabra de Dios a la gente. Nehemías 8:8 dice: *Y leían en el Libro de la ley de Dios claramente, y ponían el sentido, de modo que entendiesen la lectura.*

Yo creo que está es una definición digna de la predicación expositiva, el leer la Palabra, darle el sentido, y hacer que la gente entienda el significado. Yo he descubierto que muchas veces no empiezo a comprender el significado de un pasaje en particular hasta que lo haya leído por lo menos 50 ó 60 veces. De pronto todo comienza a tener sentido en mí mente. Creo que es valioso usar buenos comentarios bíblicos para entender el significado de un pasaje. Yo agradezco la intuición que Dios le ha dado a otros hombres sobre pasajes de la Palabra. Pero, al decir que yo agradezco y leo comentarios, debo confesar que frecuentemente leo página tras página de comentarios y no consigo absolutamente nada que pueda usar. Algunas veces cuando usted lee siete comentarios sobre un pasaje en particular, se está más confundido cuando se termina, que cuando se comenzó, porque hay varias ideas o conceptos diferentes sobre un pasaje en particular. Por lo tanto creo que uno de los mejores comentarios sobre la Biblia es la Biblia misma.

Es importante recordar que generalmente no vemos un resultado inmediato o espectacular de un día para otro en Calvary Chapel. Toma tiempo el abrir y desarrollar el apetito de la gente por la Palabra de Dios. Les toma tiempo crecer. A la mayoría de las Calvary Chapel que son establecidas en áreas nuevas, les toma un par de años para establecer los fundamentos, preparar el terreno, labrar y trabajar la tierra endurecida, y plantar la semilla en suelo fértil. Entonces hay que esperar. La semilla no produce frutos en una noche. La semilla tiene que crecer y desarrollarse pero, eventualmente empieza a dar frutos.

He observado que muchas de las personas que han salido para el ministerio, al fin del segundo año han experimentado el punto crítico, y generalmente se encuentran desanimados, y sienten que esto no va a ocurrir donde ellos están. Empiezan a creer que la gente de allí es diferente de otra gente, y que esto no les va a ocurrir. Usted se asombraría de cuantos han

salido, y después de dos años me han llamado diciendo
que se retiraban porque no sucedía lo que esperaban.
Yo los animé a que permanezcan por otros seis meses o
algo así, diciéndoles: "Miren, han pasado la parte más
difícil. Ustedes han estado labrando, han cultivado la
tierra, han estado plantando. Ahora esperen, miren y
vean si sale algo de fruto." Por lo general, es durante el
tercer año en que usted ve el fruto como resultado de
plantar la Palabra de Dios en el corazón de las
personas. *Pero parte* [de la semilla] *cayó en buena
tierra, y dio fruto, cuál a ciento, cuál a sesenta, y cuál
a treinta por uno* (Mateo 13:8). Pero esto no sucede en
una noche.

En Esto puede ser desalentador cuando hay algunos
que vienen con fuego y pasión, y parece que generan
una multitud inmediata. La gente se amontona para
ver los milagros, para ver los fuegos artificiales, y he
aquí usted esta lenta y pesadamente laborando. No
puede ver mucho desarrollo o crecimiento, y estos otros
individuos parecen tener un éxito instantáneo. Pero,
como el Señor le dijo a Daniel: *Los entendidos
resplandecerán como el resplandor del firmamento; y
los que enseñan la justicia a la multitud, como las
estrellas a perpetua eternidad* (Daniel 12:3).

En los festejos del día de la Independencia de los
Estados Unidos o es muy divertido observar los fuegos
artificiales, los cohetes, las llamaradas de gloria, y todos
los colores alumbrando el cielo. Todo el mundo exclama:
"Es increíble," pero esto dura poco tiempo. Antes de
darse cuenta son sólo cenizas. Es un gran destello de
luz, y después se acaba. Esa es la manera que son
muchos ministerios, solamente un gran destello de luz y
después todo se acaba. Usted tiene que determinar en
que cielo quiere brillar. ¿Quiere brillar como una
estrella en la eternidad? o ¿Quiere ser como un cohete
con un resplandor repentino, apareciendo en la escena
dramáticamente, pero sin poder para permanecer?

CAPÍTULO SIETE

EL CENTRO: JESUCRISTO

Porque no nos predicamos a nosotros mismos,
sino a Jesucristo como Señor...
II Corintios 4:5

Una de las características importantes de Calvary Chapel es tener a Jesús como el centro de nuestra adoración. Nosotros no permitimos ninguna práctica o comportamiento que pueda distraer a la gente de fijarse en Él. Por ejemplo, nosotros no permitimos a la gente que esté de pie en forma individual cuando todos estamos cantando en la iglesia. Al momento que una persona se levanta, los que están cerca se dan cuenta y empiezan a preguntarse, "¿por qué está de pie?" La atención es quitada de Jesús y se pone sobre la persona que se ha parado.

El ojo es atraído por el movimiento. En muchos casos, he visto que los que se ponen de pie durante la adoración, al darse cuenta que no están recibiendo suficiente atención, levantan sus manos y empiezan a moverlas rítmicamente. Esto llama la atención y es también una distracción, y de repente la gente se pregunta por qué están ellos parados ahí. "¿En qué están pensando? ¿Son conscientes que están atrayendo la atención sobre sí mismos? ¿Qué está pasando?" Creo que es importante ocuparse de estas cosas, porque exhibiciones como estas serán la causa de que pierda futuros miembros de la iglesia. Si voy a una iglesia y esto es lo que está pasando, pensaría que el sermón fue bueno, pero no podría soportar todas estas otras cosas.

Yo asistí a una iglesia de Calvary Chapel hace tiempo, y ellos permitían que las personas se pusieran de pie individualmente. Desgraciadamente, lo que uno hace, otros usualmente también lo hacen. Hubo una persona que estaba en la primera fila y cada noche él hacía algo más que pararse, se ponía a bailar enfrente. Era obvio que el individuo no estaba del todo bien, y sin lugar a dudas tenía cierta necesidad sicológica. Él había encontrado un ambiente donde podía hacer sus pequeñas cosas raras y ser aceptado, pero distraía demasiado. Yo hablé con el pastor acerca de esto, y él defendió esta práctica, así que pensé dentro de mí: "Bueno, permanece pequeño."

En Calvary Chapel Costa Mesa, si alguien se levanta, los ujieres se le acercan y lo invitan al vestíbulo, entonces uno de los pastores habla con él, amablemente y con amor. Ellos usualmente le dicen: "Nosotros no practicamos esto porque hemos descubierto que distrae la atención de la gente en la adoración, y usted seguramente no querrá quitar la atención de la gente de Jesucristo y ponerla sobre usted, ¿verdad?"

Les decimos que están atrayendo la atención hacía ellos y que la gente está perdiendo el fijarse primordialmente en Jesucristo. Nosotros les hablamos en amor y les sugerimos que no lo hagan, y si ellos se molestan muestran que han estado en la carne todo el tiempo. Si están en el Espíritu y caminando en el Espíritu, lo aceptarán en el Espíritu. Ellos responderán: "Oh, no me di cuenta, lo siento." Pero si se enojan, se dará cuenta que estuvieron en la carne.

Jesús dijo: *Guardaos de hacer vuestra justicia delante de los hombres, para ser vistos de ellos; de otra manera no tendréis recompensa de vuestro Padre que está en los cielos* (Mateo 6:1). Él entonces ilustró cómo las personas buscan atraer atención hacia ellos mientras hacen sus obras rectas de adoración. Le guste o no, si se para y se mueve cuando los demás permanecen sentados esto le atraerá atención.

Yo estuve en otra iglesia Calvary Chapel donde un grupo de damas presentaron, al frente, una danza interpretativa de las alabanzas, su vestuario era muy especial con sombrero de cofia. Ahora bien, si hubo algo que fuera de distracción para mí, eso lo fue. Ellas eran buenas danzando con gracia, pero encontré, que realmente no obtuve mucho provecho de los cantos de adoración esa noche. Yo observaba a estas damas y sus agraciados movimientos, tratando de entender sus interpretaciones de las canciones. Así que, hablé con el pastor posteriormente, y él entendió la idea y desde ese entonces han parado estas danzas interpretativas, reconociendo que eran en sí una distracción.

Tuvimos una iglesia afiliada en Basilea, Suiza, que fue probablemente una de las iglesias con mayor entusiasmo en Europa. En cuanto al potencial y en cuanto a lo que estaba pasando, creo quizás que en ese momento era la iglesia protestante más grande en Europa. Cada año yo iba a Basilea y hablaba en su congregación. Era realmente emocionante. Habían captado por completo la visión de Calvary Chapel, tenían un coro, un gran grupo de adoración, y enseñaban la Palabra. Tenían cientos y cientos de jóvenes que acudían los domingos en la noche a la hermosa iglesia de estilo gótico. La iglesia estatal les permitió usar el edificio. Como la iglesia estatal usaba el edificio solamente los domingos en la mañana, ya que sólo seis personas ancianas asistían, el obispo dijo que nuestra iglesia Calvary Chapel podía usar el edificio los domingos por la noche. Se llenaba de personas hasta las vigas del techo y realmente tuvo un gran alcance haciendo un trabajo vital. Abrieron una cafetería. Tenían un gran programa en marcha. Ellos trataban con los hipíes y jóvenes drogadictos. La iglesia estaba ubicada en el centro, en un área infestada por drogas, y los muchachos que eran salvos necesitaban de un albergue, así que la iglesia se los proveía. La iglesia había desarrollado también talleres para fabricar varios tipos de adornos para regalos, y esto fue también una empresa afortunada. Los muchachos eran empleados y aquellos con dones artísticos fueron capaces de usar sus habilidades para la pintura. Fue un gran éxito.

La última vez que estuve allí, se habían metido en la danza interpretativa con un par de muchachas en mallas. Habían traído un pastor asistente de trasfondo pentecostal, y habían adoptado el ponerse de pie individualmente. El pastor no fue lo suficientemente firme para manejar esto. Yo hablé con él después del servicio y le dije: "Esta tontería tiene que acabarse, lo va destruir." En realidad, él no estaba en control de la reunión. Yo noté que cuando llegó el momento para empezar a compartir, estas muchachas se levantaron, y le susurraron algo al oído, entonces cantaron un canto más y ejecutaron una danza más. Las bailarinas estaban en control de la reunión, no el pastor. Por lo tanto hablé con él acerca de esto, pero en realidad él estaba renuente a enfrentar el asunto. Como resultado, hoy no tenemos iglesia en Basilea. Él se marchó, los pentecostales se apoderaron del control y la iglesia finalmente terminó echándolos, y ahora no hay una obra allí.

Así que, es muy importante estar fijados en Jesucristo y mantener al mínimo las distracciones. Cuando las distracciones tomen lugar, resuélvalas, y si es necesario hable públicamente acerca de ellas.

Cuando estuve en el instituto bíblico, había un muchacho que se sentaba siempre en la primera fila Usualmente en uno de los momentos más intensos durante el servicio, cuando el Espíritu de Dios estaba obrando realmente en el corazón de las personas, él se inclinaba hacia el piso, y entonces se paraba, y con las manos en alto, gritaba, "¡Aleluya!" Todos se reían. Pero entonces la atención de todo el mundo estaba en este tipo gritando, "¡Aleluya!" El propósito del sermón se perdía. Él arruinó muchos sermones a causa de sus actos. Así que, ¡Decidí detenerlo! Me senté en la fila exactamente detrás de él, y cuando él se inclinó para empezar con su "¡Aleluya!" lo agarré por el hombro y le oprimí el nervio, lo mantuve doblado en sus rodillas. Nadie más tuvo el valor de pararlo. Simplemente lo dejaron continuar, ¡Cuándo era semejante distracción!

Hace algunos años me encontraba en Colorado Springs, en un retiro y había un hombre al frente que era algo raro. Se podía notar con tan sólo mirarlo. Mientras todos estábamos cantando alabanzas, este hombre danzaba por los pasillos de arriba abajo. Yo le pregunté al pastor, "¿Por qué permite esto?" Él dijo: "Bueno, ellos quieren tener libertad." Le respondí: "Vea eso no es libertad, y si yo fuera un desconocido y vengo a la iglesia por primera vez, y miro a este individuo haciendo esto, no regresaría más." ¡Pensaría que la congregación es rara!

Llegamos a un punto donde aceptamos cosas que están mal porque no tenemos el valor para detenerlas. Nos da temor que se nos acuse de contristar al Espíritu. ¡Yo contristaré esa clase de espíritu! No al Espíritu Santo, sino al espíritu que está buscando atraer la atención sobre un individuo, distrayendo a la gente de adorar al Señor.

En el pasado (y esto no ha ocurrido en Calvary Chapel, por mucho tiempo) hemos tenido personas que se paraban durante el servicio y trataban de hablar en lenguas. Una vez más, los ujieres se les acercaban. Los invitaban a ir al vestíbulo, y los pastores les explicaban que en Calvary Chapel no permitimos hablar en lenguas o profetizar en público, como en las iglesias carismáticas o pentecostales. Desde el púlpito yo explicaba a la congregación que el don de lenguas es válido en el Nuevo Testamento y que hay un lugar apropiado para las lenguas. Yo les explicaba que Pablo señaló, que en su experiencia personal, cuando él estaba en la iglesia prefería hablar cinco palabras en una lengua conocida que diez mil en una desconocida. Sin embargo, él estaba agradecido que hablaba en lenguas más que todos ellos.

En sus devociones privadas, es una experiencia muy edificante. Es un medio por el cual puede alabar y adorar a Dios. Pero con iglesias del tamaño de Calvary Chapel y con personas que no son capaces de oír la interpretación, no es edificante en nuestros servicios públicos ejercitar este don en particular, aun con una interpretación. No es edificante o conveniente, por lo tanto no lo hacemos. No lo permitimos durante el servicio público, pero alentamos a las personas a usar y ejercitar este don en su vida devocional.

Si usted tiene un grupo de creyentes y se reúnen en oración para buscar al Señor, entonces el uso del don de lenguas con interpretación es permitido. Pero yo creo, que cuando hay incrédulos presentes, esto crea confusión e interrogantes. Por consiguiente, es mejor limitarlo a creyentes que se reúnen específicamente para esperar en el Señor, como nosotros lo hacemos en la noche de vigilia. Es edificante y permitido ahí. Las personas están buscando simplemente al Señor y la plenitud de Su Espíritu, así que en este ambiente es permitido.

Pablo dijo en I de Corintios 1:29: *A fin de que nadie se jacte en Su presencia.* ¿Yo me pregunto si nos damos cuenta que tan serio es el tratar de llamar la atención hacia nosotros en la presencia del Señor? ¿Realmente queremos distraer la atención de la gente de Jesucristo y atraerla hacia nosotros? Creo que esto es una ofensa grave, y no quiero ser culpable de ella.

Encontramos en el Antiguo Testamento un caso muy interesante de todo lo serio que es esto. Cuando Israel terminó el tabernáculo y todo su mobiliario, ellos reunieron al pueblo para dedicarlo y comenzar a ofrecer sacrificios. La congregación de Israel fue convocada y cada uno estaba en su lugar. Aarón estaba con sus túnicas sacerdotales, así como sus hijos, y todo el escenario, de acuerdo al plan de Dios, estaba en orden. Entonces súbitamente, mientras el pueblo estaba allí esperando a que comenzara la ceremonia, el fuego de Dios sobrevino y encendió la fogata del altar. Fue una combustión espontánea, y todo el pueblo vio esta señal de la presencia de Dios y clamaron a grandes voces. Había un gran entusiasmo por dondequiera, tenían una emoción inmensa al darse cuenta que Dios estaba presente con Su pueblo. Entonces: *Nadab y Abiú, los dos hijos de Aarón, tomaron cada uno su incensario, y pusieron ellos fuego, sobre el cual pusieron incienso, y ofrecieron delante de Jehová fuego extraño, que Él nunca les mandó. Y salió fuego delante de Jehová y los quemó, y murieron delante de Jehová* (Levítico 10: 1-2).

Pienso que ellos fueron sobrecogidos por la emoción y entusiasmo del momento. Iban a demostrar al pueblo su posición como sacerdotes y qué importantes "somos." Como resultado fueron consumidos.

Soy muy cauteloso del fuego extraño. También usted debe ser muy cuidadoso con el fuego extraño, esas emociones que no emanan de Dios, y de la clase de servicio que no se origina en Dios. Es un esfuerzo para atraer la atención hacia el instrumento en lugar del Maestro.

Vemos esto en la iglesia primitiva con Ananías y Safira. Aquí hay, una vez más un intento de atraer elogio y gloria al individuo. Ananías y Safira habían vendido sus propiedades y trajeron una porción de las ganancias que recibieron a la iglesia, pero ellos pretendieron que estaban dándolo todo. Yo creo que esto era para atraer el elogio y la alabanza de la gente, alguien diría: ¡Miren ellos están dándolo todo a Dios! Cuando en realidad estaban reteniendo una porción.

A todos nos gusta recibir esa clase de halagos. Nos agrada cuando la gente piensa que somos espirituales. ¡Cuidado! Nuestra carne es muy corrupta. Yo quiero ser conocido como una persona profundamente espiritual. Mi carne se deleita en que la gente piense que soy más espiritual de lo que realmente soy. Algunas veces intencionalmente tratamos de dar esa impresión, pienso que esto ha sido una de las maldiciones de la iglesia. Algunos pastores buscan dar una imagen de profunda espiritualidad que no es real.

Esto empieza afectando sus acciones, comienzan a tener una voz que suena muy santa, sostienen sus manos de una manera especial, entonces dicen: "Ah, querida hermana, dígamelo todo." Sus modales cambian y con su comportamiento da la impresión de ser un santo, les encanta esto. Aman que la gente piense que son unos gigantes espirituales, quieren que la gente conozca la Palabra como ellos la conocen, o que piensen que pasan horas en oración. Ellos sonríen y dicen: "Esto requiere de un gran compromiso, usted lo sabe."

Realmente necesitamos ser cuidadosos acerca de crear un aura alrededor de nosotros y de amar la adulación que proviene de la gente. En el caso de Ananías y Safira, ellos murieron porque atrajeron la atención y la gloria hacia ellos, la gloria que debió haber sido para el Señor. Y pagaron un precio muy alto. Dios no desea compartir Su gloria. ¡Sea cuidadoso! No permita cosas que lo puedan distraer. Queremos mantener a la gente enfocada primordialmente en Jesucristo. Es muy importante el mantener a Jesucristo como el propósito central en nuestra adoración.

CAPÍTULO OCHO

EL RAPTO DE LA IGLESIA

Aguardando la esperanza bienaventurada y la manifestación gloriosa de nuestro gran Dios y Salvador Jesucristo.
Tito 2:13

El rapto se refiere al momento cuando Jesús va a venir, sin advertencia, para llevarse a Su iglesia fuera de esta tierra. Después del rapto, el Señor derramará Su ira sobre este mundo pecador. Hay muchos pastores que muestran una ignorancia acerca del rapto o dicen no estar seguros si precede a la tribulación, dicen que realmente no saben que postura tienen al respecto. No creo que haya alguna excusa para no tener una posición sobre este tema. Tenemos nuestra Biblia y la capacidad de estudiar este tema exhaustivamente. Creo que su punto de vista acerca del rapto tendrá un impacto significativo en el éxito de su ministerio.

Primero que todo, sabemos que Jesús prometió que regresaría. En Juan 14 leemos: *No se turbe vuestro corazón; creéis en Dios, creed también en Mí. En la casa de Mí Padre muchas moradas hay; si así no fuera, Yo os lo hubiera dicho; voy pues, a preparar lugar para vosotros. Y si Me fuere y os preparare lugar, vendré otra vez, y os tomaré a Mí Mismo, para que donde Yo estoy, vosotros también estéis* (Juan 14:1-3). El Señor prometió volver y recibir a Sus discípulos con Él, para que donde Él esté nosotros también estemos.

Pablo, escribiéndole a los Corintios declaró: *He aquí os digo un misterio . . .* (I Corintios 15:51). Un misterio en el Nuevo Testamento significa algo que no había sido revelado todavía por Dios en Su progresiva revelación de Sí, Su propósito, y planes para *con* el hombre. Pablo, por ejemplo, les habló a los Colosenses acerca de: *Las riquezas de la gloria de este misterio entre los gentiles; que es Cristo en vosotros, la esperanza de gloria* (Colosenses 1:27). Los profetas del Antiguo Testamento no comprendían lo que quiere decir que Cristo estaría en nosotros. Incluso los ángeles desean entender completamente estas cosas (I Pedro 1:12). En el pasaje de I Corintios 15:51-52 se nos presenta a otra verdad nunca antes revelada: *He aquí, os digo un misterio: No todos dormiremos; pero todos seremos transformados, en un momento, en un abrir y cerrar de ojos, a la final trompeta.*

Cuando la Biblia declara que *todos seremos transformados,* quiere decir que habrá una metamorfosis. *Porque es necesario que esto corruptible se vista de incorrupción, y esto mortal se vista de inmortalidad* (I Corintios 15:53). Todos los creyentes experimentarán una transformación gloriosa en la venida de Jesucristo por Su iglesia.

Los tesalonicenses tenían problemas con este asunto. Pablo solamente ministró allí por un par de semanas, pero en ese corto tiempo les enseñó muchas cosas. Una de las cosas que les enseñó fue acerca del rapto de la iglesia. Los tesalonicenses esperaban la venida del reino.

Yo creo que es la intención de Dios que cada iglesia en su generación esté convencida de que ellos son la última generación. También creo que es un designio divino que la iglesia viva esperando constantemente el inminente retorno del Señor. Jesús hablando acera de Su regreso, dijo: Bienaventurado *aquel siervo al cual, cuando Su señor venga, le halle haciendo así* (Mateo 24:46).

La iglesia primitiva creía que Jesús establecería el reino inmediatamente. En el primer capítulo del libro de los Hechos los discípulos, le preguntaron, diciendo: *Señor, ¿restaurarás el reino a Israel en este tiempo?* (Hechos 1:6). ¿Faltan pocos días? Ellos estaban emocionados porque estaban esperando que el Señor estableciera el reino en cualquier momento.

Jesús respondió diciéndoles: *No os toca a vosotros saber los tiempos o las sazones, que el Padre puso en Su sola potestad; pero recibiréis poder, cuando haya venido sobre vosotros el Espíritu Santo . . .* (Hechos 1:7-8a).

Hubo un rumor en la iglesia primitiva de que el Señor regresaría antes que Juan muriera. Cada vez que Juan se enfermaba de un resfriado o se le inflamaba la garganta, toda la iglesia se emocionaba. Así que, para aclarar lo que Jesús dijo, Juan escribió en el Evangelio lo que Jesús le estaba diciendo a Pedro, cómo es que Él iba a morir, y Pedro con su estilo propio dijo a Jesús: *Señor, ¿y qué de éste?* Jesús le dijo: *Si quiero que él quede hasta que Yo venga, ¿qué a ti? Sígueme tú* (Juan 21:21-22). Juan resaltó el punto de que Jesús no dijo que Él lo haría, sino que Él dijo: *Si quiero.* Así que, Juan buscó corregir la idea equivocada de que Jesús vendría antes de que él muriera.

Los tesalonicenses esperaban la venida del Señor, pero algunos de sus queridos hermanos en la iglesia en Tesalónica habían muerto, y aún Jesús no había regresado. Ellos creían que porque habían muerto antes que Jesús regresase ellos se perderían el glorioso reino. En I de Tesalonicenses capítulo 4, Pablo corrige esta idea equivocada que si una persona muere antes que Jesús regrese, no alcanzaría el reino. Así que él dijo: *Tampoco queremos hermanos, que ignoréis acerca de los que duermen, para que no os entristezcáis como los otros que no tienen esperanza* (1 Tesalonicenses 4:13). Pablo sigue diciendo: *Porque si creemos que Jesús murió y resucitó, así también traerá Dios con Jesús a los que durmieron en Él. Por lo cual os decimos esto en Palabra del Señor: que nosotros que vivimos, que habremos quedado hasta la venida del Señor, no precederemos a los que durmieron* (I Tesalonicenses 4:14-15). Pablo creía que probablemente él estaría vivo y permanecería hasta la venida del Señor. Él enfatizó que no precederemos a los que duermen. *Porque el Señor mismo con voz de mando, con voz de arcángel, y con trompeta de Dios, descenderá del cielo; y los muertos en Cristo resucitarán primero. Luego nosotros los que vivimos, los que hayamos quedado, seremos arrebatados juntamente con ellos en las nubes para recibir al Señor en el aire, y así estaremos siempre con el Señor. Por tanto, alentaos los unos a los otros con estas palabras* (I Tesalonicenses 4:16-18).

Hay personas que dicen, "no creo en el rapto de la iglesia," por que han buscado a través de la Biblia y nunca han encontrado la palabra "rapto" en ella.

Pero en I de Tesalonicenses 4:17 leemos que: *Luego nosotros los que vivimos, los que hayamos quedado seremos arrebatados juntamente con ellos en las nubes para recibir al Señor en el aire, y así estaremos siempre con el Señor.*

La palabra traducida "arrebatados" en el Griego es *harpazo*, la cual quiere decir "ser tomado a la fuerza." Es usualmente usada como un término militar con relación a la toma de rehenes. La Vulgata Latina traduce *harpazo* como *raptuse*, (lat. raptus) es de ahí de donde se origina la palabra en español "rapto." Jesús regresará para raptar a Su iglesia, este será el primer acontecimiento.

El segundo acontecimiento es la segunda venida de Jesucristo; cuando Él venga otra vez con Su iglesia para establecer Su Reino sobre la tierra. El rapto entonces es distinto de la segunda venida de Jesucristo. Se nos dice: *He aquí que viene con las nubes, y todo ojo le verá, y los que les traspasaron; y todos los linajes de la tierra harán lamentaciones por Él. Sí, amén* (Apocalipsis 1:7). *Y, Cuando Cristo, vuestra vida, se manifieste, entonces vosotros también seréis manifestados con Él en gloria* (Colosenses 3:4). La segunda venida de Jesús será para establecer el reino de Dios sobre la tierra. Pero antes de la segunda venida habrá un acontecimiento en el que la iglesia será arrebatada para estar con el Señor. Lo que más me gusta acerca de este evento es: *Y así estaremos siempre con Él Señor* (I Tesalonicenses 4:17).

Hay una clara diferencia entre Jesús viniendo *por* su iglesia y Jesús viniendo *con* Su iglesia. Él vendrá por Su iglesia en el rapto. Pero en la segunda venida de Jesús, Él vendrá con Su iglesia. *Cuando Cristo, vuestra vida se manifieste,* (en Su segunda venida) *entonces vosotros también seréis manifestados con Él en gloria* (Colosenses 3:4).

Judas 14 habla de la segunda venida cuando declara: *De éstos también profetizó Enoc, séptimo desde Adán, diciendo: He aquí, vino el Señor con sus santas decenas de millares.* Zacarías también habló de esto cuando escribió: *Y se afirmarán Sus pies en aquel día sobre el monte de los Olivos, que está enfrente de Jerusalén al oriente; y el monte de los Olivos se partirá por en medio, hacia el oriente y hacia el occidente, haciendo un valle muy grande; y la mitad del monte se apartará hacia el norte, y la otra mitad hacia el sur. Y huiréis al valle de los montes, porque el valle de los montes llegará hasta Azal; huiréis de la manera que huisteis por causa del terremoto en los días de Uzías rey de Judá; Y vendrá Jehová mi Dios, y con Él todos los santos* (Zacarías 14:4-5).

El rapto puede ocurrir en cualquier momento. Ya

no quedan profecías por cumplir antes que el rapto ocurra. ¡Puede suceder antes que termine de leer este capítulo, y estaríamos emocionados que así fuera!

Hay algunas profecías que aún tienen que cumplirse antes de que Jesús venga otra vez. El anticristo, tiene que ser revelado y la tierra debe pasar un tiempo de gran tribulación y de juicio. Estas profecías se relacionan específicamente con la segunda venida de Jesús. Jesús habló de las señales de Su venida en Lucas 21:28: *Cuando estas cosas comiencen a suceder, (las señales de Su segunda venida) erguios y levantad vuestras cabezas, porque vuestra redención está cerca.*

El año 1999, a fines de octubre, antes de Halloween, pasé por un centro comercial muy grande en el Sur de California, me llamó la atención ver a los empleados colocando a Papa Noel, los renos y otras decoraciones para Navidad, cuando aún era octubre. Le dije a mí esposa, "¡mira eso! ¡Ellos están colocando las decoraciones para Navidad! ¡Es estupendo! ¡Me encanta el día de Acción de Gracias!" Ella respondió, "esas no son decoraciones del día de Acción de Gracias! ¡Son decoraciones de Navidad!" Le respondí "¡Eso yo, lo sé! Pero, también sé que el día de Acción de Gracias es antes de Navidad. Así que, sí las decoraciones para Navidad están siendo colocadas, ¡El día de Acción de Gracias se acerca!" Y de la misma manera, cuando veamos las señales de la segunda venida, sabremos que el rapto se acerca.

Jesús les había dado a Sus discípulos las señales de Su venida en respuesta a la pregunta de ellos: *Dinos, ¿cuándo serán estas cosas, y qué señal habrá de Tu venida, y del fin del siglo?* (Mateo 24:3). Jesús acababa de caminar por el templo con Sus discípulos y ellos comentaron qué enormes eran las piedras. Jesús les dijo: *No quedará aquí piedra sobre piedra, que no sea derribada* (Mateo 24:2a). Cuando llegaron al Monte de los Olivos, le preguntaron a Jesús . . . *¿Y qué señal habrá de Tu venida, y del fin del siglo?* (Mateo 24:3b). Así que, no preguntaban sólo por una serie de señales, ellos preguntaban acerca de las señales de la destrucción del templo y, además, acerca de las señales del fin de la actual era del gobierno humano y de la venida del reino de Dios.

Ellos no preguntaron ni quizás probablemente entendían del rapto de la iglesia, pero Jesús procedió a darles las señales de la destrucción del templo y las señales de Su venida. Cuando Él habla acerca de las señales de Su segunda venida, Él naturalmente habla acerca de la gran tribulación. *Porque habrá entonces gran tribulación, cual no la habido desde el principio del mundo hasta ahora, ni la habrá* (Mateo 24:21). Jesús también les advirtió: *Por tanto, cuando veáis en el lugar santo la abominación desoladora de que habló el profeta Daniel (él que lee, entienda,)* (Mateo 24:15). Cuando vea la abominación puesta en el lugar santo, sabrá que es el tiempo para huir de Jerusalén hacia el desierto. Y luego: *E inmediatamente después de la tribulación de aquellos días, el sol se oscurecerá, y la luna no dará su resplandor, y las estrellas caerán del cielo, y las potencias de los cielos serán conmovidas. Entonces aparecerá la señal del Hijo del Hombre en el cielo, y entonces lamentarán todas las tribus de la tierra, y verán al Hijo del Hombre viniendo sobre las nubes del cielo, con poder y gran gloria* (Mateo 24:29-30).

Antes de la segunda venida, hay varias profecías que tienen que cumplirse. Debe de manifestarse el anticristo y establecerse el reino de Satanás con todo poder durante la gran tribulación. Estos eventos deben ocurrir antes de la segunda venida de Jesús. Pero no hay nada que deba de ocurrir antes del rapto de la iglesia. Por eso se nos dice que velemos y estemos preparados: *Porque el Hijo del Hombre vendrá a la hora que no pensáis . . . Bienaventurado aquel siervo al cual, cuando Su Señor venga, le halle haciendo así* (Mateo 24:44-46).

Jesús entonces comenzó a darles una serie de parábolas. El tema de cada parábola es la de velar y estar preparado para Su regreso en cualquier momento. Cada parábola se enfoca en el punto clave de que el rapto es inminente, esto es, puede suceder en cualquier momento.

En la parábola de las diez vírgenes leemos que: *Cinco de ellas eran prudentes y cinco insensatas . . . y las que estaban preparadas entraron con él a las bodas; y se cerró la puerta. Después vinieron también las otras vírgenes, diciendo: ¡Señor, señor, ábrenos! Mas Él, respondiendo, dijo: de cierto os digo, que no os conozco. Velad, pues, porque no sabéis el día ni la hora en que el Hijo del Hombre ha de venir* (Mateo 25:2,10b-13). El énfasis a través de esta parábola es mirar y estar preparados, porque no sabemos cuándo el Señor vendrá por Sus siervos. En Mateo 24:42-44 leemos: *Velad, pues, porque no sabéis a qué hora ha de venir vuestro Señor. Pero sabed esto, que si el padre de familia supiese a qué hora el ladrón habría de venir, velaría y no dejaría minar su casa. Por tanto, también vosotros estad preparados; porque el Hijo del Hombre vendrá a la hora que no pensáis.*

Yo creo firmemente que la iglesia no pasará a través de la gran tribulación. Hablando acerca de la tribulación en Lucas 21, Jesús dijo: *Velad, pues, en todo tiempo orando que seáis tenidos por dignos de escapar de todas estas cosas que vendrán, y de estar en pie delante del Hijo del Hombre* (Lucas 21:36). Ahora bien, si Jesús me dice que ore por algo, créame, yo lo haré. Yo oro: "Señor, yo quiero ser hallado digno de escapar de estas cosas que van a suceder sobre la tierra." Esto esta en el contexto de la gran tribulación.

Se nos dice en Apocalipsis 1:19 que el libro esta dividido en tres secciones: *Escribe las cosas que has visto, y las que son, y las que han de ser después de estas.* Se le dijo a Juan en el capítulo uno: *Escribe las cosas que has visto,* y él escribió acerca de la visión en la que vio a Cristo caminando en el medio de los siete candelabros de oro, sosteniendo las siete estrellas en Su mano derecha. Juan escribió acerca de la gloriosa descripción de Jesús en Su estado glorificado.

En los capítulos dos y tres, él escribe acerca de *las cosas que son.* Esto se refiere a los mensajes que Jesús dio a las siete iglesias de Asia. Creo que éstas eran siete iglesias que existían en esos días, pero también creo que se refiere a siete períodos históricos de la iglesia y también creo que representan a iglesias que puede encontrar hoy.

Hoy hay iglesias que han dejado su primer amor, que aceptan la doctrina de los Nicolaítas, hay una iglesia sufrida de Esmirna, en el mundo hoy, como las que sufren persecución en China, Sudán, y otros lugares. Yo creo que hay una iglesia de Tiatira que ha aceptado la doctrina de la "Mariología." Podemos ver la iglesia de Sardis representada en un protestantismo muerto: *Que tienes nombre de que vives, y estás muerto* (Apocalipsis 3:1b).

Creo que está la iglesia de Filadelfia; que es la que permanece leal a la Palabra, puede que no tenga mucho poder, pero gracias a Dios que Él dice: *He aquí, he puesto delante de ti una puerta abierta, la cual nadie puede cerrar; porque aunque tienes poca fuerza, has guardado Mí Palabra, y no has negado Mí Nombre* (Apocalipsis 3:8). Puede que no seamos grandes o hagamos estremecer la tierra, pero gracias a Dios ¡Estamos causando una pequeña impresión!

Pero hay también la iglesia de Laodicea, la que dejó a Jesús afuera. Él aun permanece a la puerta tocando, y diciendo: *Si alguno oye Mí voz y abre la puerta, entraré a él, y cenaré con él, y él Conmigo* (Apocalipsis 3:20).

Así que, yo creo que hay una aplicación triple para

los mensajes a las siete iglesias. En el capítulo cuatro, versículo uno; cuando Él ha terminado con los mensajes a las iglesias, presenta una nueva sección con la palabra Griega, *metatauta* (después de estas cosas,) que Él también usó en Apocalipsis 1:19. Necesitamos preguntar: "¿Después de qué cosas?" Después de las cosas de los capítulos dos y tres. Las cosas de los capítulos dos y tres son las cosas de la iglesia. Así que, después de las cosas que pertenecen a la iglesia leemos: *Después de esto miré, y he aquí una puerta abierta en el cielo; y la primera voz que oí, como de trompeta, hablando conmigo, dijo: Sube acá y Yo te mostraré las cosas que sucederán después de estas* (Apocalipsis 4:1).

Después de este mandato; Juan dijo: *Y al instante yo estaba en el Espíritu; y he aquí, un trono establecido en el cielo, y en el trono, Uno sentado* (Apocalipsis 4:2). El entonces describe el trono de Dios, el arco iris alrededor del trono semejante a la esmeralda y a los querubines adorando. Él vio los veinticuatro tronos más pequeños con los ancianos sentados en ellos y él vela y observa la adoración celestial; Mientras los querubines declaran la eternidad, naturaleza, y santidad de Dios . . . *Y no cesaban día y noche de decir: Santo, santo, santo es el Señor Dios Todopoderoso, Él que era, Él que es, y Él que ha venir* (Apocalipsis 4:8b). Mientras ellos declaran la santidad de Dios, los veinticuatro ancianos se postran sobre sus rostros, y echan sus coronas de oro en el mar de cristal, y declaran: *Señor, digno eres de recibir la gloria y la honra y el poder; porque Tú creaste todas las cosas, y por Tu voluntad existen y fueron creadas* (Apocalipsis 4:11).

La atención de Juan fue dirigida a . . . *Un libro Escrito por dentro y por fuera sellado con siete sellos. Y un ángel fuerte que pregonaba a gran voz: ¿Quién es digno de abrir el libro y desatar sus sellos?* (Apocalipsis

5:1b-2). Y Juan escribe: *Y lloraba yo mucho, porque no se había hallado a ninguno digno de abrir el libro, ni de leerlo, ni de mirarlo* (Apocalipsis 5:4). Yo creo que este rollo es el título de propiedad de la tierra, de acuerdo a la ley judía de redención. Había un tiempo determinado en el cual se podía recuperar las propiedades vendidas cumpliendo con los requisitos del traspaso estipulados en el rollo. Vemos esto ilustrado en la historia de Rut cuando Booz redime el campo que perteneció a Elimelec a fin de que él pudiera obtenerla como novia. También vemos esto ilustrado en Jesús quién compró y pagó el precio para redimir al mundo a fin de que Él tuviera Su novia, la iglesia.

De vuelta en el cielo, encontramos a Juan llorando, pues, bajo la ley judía, si no redime la propiedad en el tiempo designado, pasa a ser del nuevo propietario para siempre. Tenía una oportunidad, después pertenecía al nuevo propietario de por vida. El pensar que el mundo existiera para siempre bajo el poder y control de Satanás era mucho más de lo que Juan podía soportar, y comenzó a sollozar sin parar hasta que uno de los ancianos dijo: *No llores. He aquí que el León de la tribu de Judá, la raíz de David, ha vencido para abrir el libro y desatar sus siete sellos* (Apocalipsis 5:5). Juan cuenta que no vio a Jesús como el León de la tribu de Judá, sino que lo vio como un Cordero que había sido inmolado. Isaías dice: *Subirá cual renuevo delante de Él, y como raíz de tierra seca; no hay parecer en Él, ni hermosura; le veremos, mas sin atractivos, para que le deseemos . . . Mas Él herido fue por nuestras rebeliones, molido por nuestros pecados; el castigo de nuestra paz fue sobre Él, y por Su llaga fuimos nosotros curados* (Isaías 53:2-5).

En Apocalipsis capítulo cinco leemos: *Y vino, y tomó el Libro de la mano derecha del que estaba sentado en el trono. Y cuando hubo tomado el Libro, los cuatro seres vivientes y los veinticuatro ancianos se postraron delante del Cordero; todos tenían arpas, y copas de oro llenas de incienso, que son las oraciones de los santos; y cantaban un nuevo cántico, diciendo: Digno eres de tomar el Libro y de abrir sus sellos; porque Tú fuiste inmolado, y con Tu sangre nos has redimido para Dios, de todo linaje y lengua y pueblo y nación; y nos has hecho para nuestro Dios reyes y sacerdotes, y reinaremos sobre la tierra* (Apocalipsis 5:7-10).

Si observa cuidadosamente la letra de la canción, nos damos cuenta que solamente la iglesia puede cantarla. Cuando el Señor está en el cielo recibiendo el título de propiedad de la tierra estaremos mirándolo mientras Él toma el rollo de la mano derecha de Aquel que está sentado en el trono. Nos uniremos en un glorioso coro, cantando: *Digno eres de tomar el libro y de abrir sus sellos; porque Tú fuiste inmolado, y con Tu sangre nos has redimido para Dios, de todo linaje y lengua y nación* (Apocalipsis 5:9). En Lucas 21, Jesús les dijo a Sus discípulos acerca de las señales de Su segunda venida y de la gran tribulación que precederá al fin de los tiempos. Él dijo: *Velad, pues, en todo tiempo orando que seáis tenidos por dignos de escapar de todas estas cosas que vendrán, y de estar en pie delante del Hijo del Hombre* (Lucas 21:36).

Cuando la gran tribulación ocurra en la tierra; yo espero estar en el cielo de pie delante el Hijo del Hombre, cantando los méritos del Cordero. Sólo la iglesia puede cantar esta canción de redención. Si seguimos la cronología, vemos que la canción de redención cantada por la iglesia ocurre en el capítulo cinco, antes de la apertura del rollo en el capítulo seis, y que precede a la gran tribulación en la tierra. Una vez más leemos de Él: *Y con Tú sangre nos has redimido para Dios, de todo linaje y lengua y pueblo y nación; y nos Has hecho para nuestro Dios reyes y sacerdotes, y reinaremos sobre la tierra* (Apocalipsis 5:9-10).

Vemos a la iglesia de pie delante del Hijo del Hombre; y a Jesús, hablando acerca de la gran tribulación, dice: *Velad, pues, en todo tiempo orando que seáis tenidos por dignos de escapar de todas estas cosas que vendrán, y de estar en pie delante del Hijo del Hombre* (Lucas 21:36). Créame, ¡quiero estar en esa compañía allá arriba!

En Apocalipsis capítulo seis comienza la descripción de la gran tribulación. Conforme el Señor abre cada sello del rollo; se desata un juicio correspondiente en la tierra. Al abrirse el primer sello Juan escribe: *Y miré, y he aquí un caballo blanco; y el que lo montaba tenía un arco; y le fue dada una corona, y salió venciendo, y para vencer* (Apocalipsis 6:2). Yo creo que esta es la revelación del anticristo. ¡Algunos creen que este jinete sobre el caballo blanco es Jesucristo! Pero, si examinamos el pasaje, vemos que sigue guerra, hambre, mortandad, y la cuarta parte de la gente es muerta. ¡Esto no parece ser el reino de Dios y la gloriosa venida del Señor! Yo creo que éste es el anticristo.

Creo que las fuerzas y el poder del anticristo están en el mundo hoy y que lo único que lo detiene es la presencia de la iglesia. Tenemos poca fuerza, no mucha, pero la suficiente para evitar que el poder de las tinieblas tome todo el control. No creo que el anticristo pueda tomar control a menos que la iglesia sea removida.

Pablo nos dice en II Tesalonicenses capítulo 2: *Porque ya está en acción el misterio de la iniquidad; solo que hay quien al presente lo detiene, hasta que él a su vez sea quitado de en medio. Y entonces se manifestará aquel inicuo, a quien el Señor matará con el Espíritu de Su boca, y destruirá con el resplandor de Su venida* (II Tesalonicenses 2:7-8). Esto corresponde con el pasaje de Apocalipsis capítulo seis donde la iglesia está en el cielo cuando Jesús toma el rollo. Al comenzar Él a desatar el rollo, los juicios correspondientes son desatados sobre la tierra. Es el tiempo del derramamiento de la ira de Dios.

En Romanos 5:9, Pablo nos dice que: *Pues mucho más, estando ya justificados en Su sangre, por Él seremos salvos de la ira.* Él repite esto en 1 Tesalonicenses 5-9: *Porque no nos ha puesto Dios para ira, sino para alcanzar salvación por medio de nuestro Señor Jesucristo.*

Nosotros, la iglesia; no estamos "destinados para la ira." En Romanos 1, Pablo escribe: *Porque la ira de Dios se revela desde el cielo contra toda impiedad e injusticia de los hombres que detienen con injusticia la verdad* (Romanos 1:18). El juzgar al justo con el malvado es sencillamente inconsistente con la naturaleza de Dios.

Ahora bien, es verdad que en el mundo nosotros los cristianos padeceremos tribulación. El mundo nos odia; así que no debemos sorprendernos de la persecución. Jesús dijo: *Si el mundo os aborrece, sabed que a Mí me ha aborrecido antes que a vosotros* (Juan 15:18) . . . *en el mundo tendréis aflicción; pero confiad, yo he vencido al mundo* (Juan 16:33b). Así que, en éste mundo tendremos tribulación. ¿Pero cuál es la fuente de la tribulación contra la iglesia? ¡No es Dios! Satanás es la fuente de la tribulación.

Cuando Satanás sea la fuente de la tribulación, puede esperar que los hijos de Dios sean los perseguidos. Pero cuando Dios sea la fuente de juicio, será una historia diferente. Dios ya juzgó nuestros pecados en la cruz de Jesucristo. Jesús llevó el juicio de Dios por todas nuestras culpas.

¿Se acuerda cuando los ángeles estaban en camino para destruir Sodoma? Se detuvieron y visitaron a Abraham y dijeron: "¿No debemos decirle a Abraham lo que vamos a hacer?" Se dijeron: "Bueno, ¿y por qué no?" Así que, le dijeron que el pecado de Sodoma había

ascendido al cielo y que iban en camino para verificar
los hechos y destruir la ciudad.

Abraham les pidió que esperaran porque su sobrino
Lot estaba viviendo allí. Él dijo: *¿Destruirás también al
justo con el impío? Quizá haya cincuenta justos dentro
de la ciudad: ¿Destruirás también y no perdonarás al
lugar por amor a los cincuenta justos que estén dentro
de él?* . . . *Entonces respondió Jehová: Si hallare en
Sodoma cincuenta justos dentro de la cuidad,
perdonaré a todo este lugar por amor a ellos. Y
Abraham replicó y dijo . . . Quizá faltarán de cincuenta
justos cinco; ¿destruirás por aquellos cinco toda la
ciudad? Y dijo: No la destruiré, si hallare allí cuarenta
y cinco. Y volvió a hablarle, y dijo: Quizá se hallarán
allí cuarenta. Y respondió: No lo haré por amor a los
cuarenta. Y dijo . . . hallarán allí treinta. Y respondió:
No lo haré si hallare allí treinta. Y dijo . . . Quizá se
hallarán allí veinte. No la destruiré, respondió, por
amor a los veinte. Y volvió a decir . . . Quizá se hallarán
allí diez. No la destruiré, respondió, por amor a los diez*
(Génesis 18:23-32).

¿Y que pasó? Cuando los ángeles vinieron a la
ciudad de Sodoma, encontraron sólo a un hombre justo,
Lot sentado a la puerta, él sabía como eran los
sodomitas. Pedro nos dice que su espíritu justo era
maltratado por la forma en que esta gente vivía. Lot
sin saber que estos individuos eran ángeles, los invitó
a su hogar. Esa noche los hombres de Sodoma vinieron
y comenzaron a golpear la puerta, diciendo: *¿Dónde
están los varones que vinieron a ti esta noche? Sácalos,
para que los conozcamos* (Génesis 19:5). Ellos
literalmente querían violarlos. Lot respondió: *Os
ruego, hermanos míos, que no hagáis tal maldad*
(Génesis 19:7).

Los ángeles alargaron la mano y metieron a Lot,
cuando la multitud comenzó a tumbar la puerta.
Entonces los ángeles hirieron a los hombres con

ceguera. Se nos dice, que continuaron toda la noche tratando de encontrar la puerta. En la mañana, los ángeles sacaron a Lot fuera de Sodoma, pues no podían destruirla hasta que él se haya ido.

Lot es un tipo de la iglesia que va ser liberada. Pedro nos dice que el Señor: *Libró al justo Lot, abrumado por la nefanda conducta de los malvados (porque este justo que moraba entre ellos, afligía cada día su alma justa, viendo y oyendo los hechos inicuos de ellos,) sabe el Señor librar de tentación a los piadosos, y reservar a los injustos para ser castigados en el día del juicio* (II Pedro 2:7-9). Dios librará al justo, y Él también guardará al injusto para el día del juicio.

El principio fundamental es que el Señor de la Tierra es justo, Él es imparcial y no destruirá al justo con el inicuo. Cuando Dios es la fuente del juicio, entonces Dios libra al justo del juicio. Anteriormente, Dios juzgó al mundo por su perversidad con el Diluvio. *Y vio Jehová que la maldad de los hombres era mucha en la tierra, y que todo designio de los pensamientos del corazón de ellos era de continuo solamente el mal* (Génesis 6:5). Pero entre todos los malvados del mundo había un hombre justo, Noé. Y Dios protegió y amparó a Noé mientras Su juicio era desencadenado. Noé fue sellado por Dios, y cuidadosamente llevado a través del diluvio, tal como los ciento cuarenta y cuatro mil en Apocalipsis capítulo 7, serán sellados por Dios y no sufrirán daño por el juicio en la tribulación. Noé es un tipo de los ciento cuarenta y cuatro mil que son sellados y tomados a través del juicio.

Durante ese mismo período, hubo también otro hombre justo, Enoc. *Caminó, pues, Enoc con Dios, y desapareció, porque le llevó Dios* (Génesis 5:24). Enoc es una figura interesante de la iglesia. Él fue trasladado, o raptado.

Yo no creo que la iglesia pasará a través de la gran tribulación. Pero hay ciertas Escrituras que la gente usa para tratar de mostrar que la iglesia pasará por ella. Uno de los argumentos está basado en la interpretación de la *última trompeta*. En 1 Corintios 15, Pablo habla acerca del Rapto y nos dice: *He aquí, os digo un misterio: No todos dormiremos; pero todos seremos transformados, en un momento, en un abrir y cerrar de ojos, a la final trompeta; porque se tocará la trompeta, y los muertos serán resucitados incorruptibles, y nosotros seremos transformados* (I de Corintios 15:51-52). Algunas personas tratan de vincular esto con las siete trompetas del juicio en Apocalipsis, dicen que la séptima trompeta es la última trompeta, ven esto como prueba que el rapto no pasará hasta que la última trompeta no ocurra, lo cual es el juicio final.

Yo encuentro un par de problemas en esto. Primero, las siete trompetas del juicio en Apocalipsis se le dan a los siete ángeles para tocarlas y traer el juicio correspondiente sobre la tierra. Cuando examinamos quien toca cada una de estas trompetas vemos que todos son ángeles. En I Tesalonicenses 4:16, Pablo esta hablando del rapto: *Porque el Señor mismo con voz de mando, con voz de arcángel, y con trompeta de Dios, descenderá del cielo; y los muertos en Cristo resucitarán primero* (1 Tesalonicenses 4:16). La trompeta del rapto no es la de un ángel. ¡Es la trompeta de Dios!

Después que el cuarto ángel toca su trompeta, hay una voz que clama: *¡Ay, ay, ay, de los que moran en la tierra, a causa de los otros toques de trompeta que están para sonar los tres ángeles!* (Apocalipsis 8:13b). Después que la quinta trompeta suena, otra vez la voz dice: *El primer ay pasó; he aquí, vienen aún dos ayes después de esto* (Apocalipsis 9:12). Está claro que estos ayes son pronunciados para aquellos que están en la tierra. Pero nuestro arrebato no es un ay. ¡Es gloria!

Otro argumento que frecuentemente es dado se

presenta en Apocalipsis capítulo 20, donde Juan ve varios grupos en el cielo. Comenzando con el versículo cuatro leemos: *Y vi tronos, y se sentaron sobre ellos los que recibieron facultad de juzgar; y vi las almas de los decapitados por causa del testimonio de Jesús y por la Palabra de Dios, los que no habían adorado a la bestia ni a su imagen, y que no recibieron la marca en sus frentes ni en sus manos; y vivieron y reinaron con Cristo mil años. Pero los otros muertos no volvieron a vivir hasta que se cumplieron mil años. Esta es la primera resurrección* (Apocalipsis 20:4-5). El punto que se quiere enfatizar es que Juan ve en la primera resurrección a los que fueron decapitados por su testimonio en Jesús, los que no adoraron la bestia o aceptaron la imagen y recibieron la marca. Ellos vivieron y reinaron con Cristo por mil años. Algunos creen que esta es prueba sólida de que la iglesia pasará por la tribulación y será martirizada.

Pero necesitamos volver atrás y leer de nuevo. En el versículo cuatro vemos tronos, y a los que están sentados en ellos se les ha dado la capacidad de juzgar. Veamos quienes son estos vencedores. En el mensaje a los vencedores en la iglesia leemos: *Al que venciere, le daré que se siente Conmigo en Mí trono, así como Yo he vencido, y Me He sentado con Mí Padre en Su trono* (Apocalipsis 3:21). Juan ve a la iglesia como parte de la primera resurrección. Después ve a aquellos que serán martirizados durante el período de la gran tribulación, por su rechazo a tomar la marca de la bestia. Este es el gran número que encuentra en el capítulo siete donde el anciano dice: *Estos que están vestidos de ropas blancas, ¿quiénes son, y de dónde han venido? Yo le dije: Señor, tú lo sabes. Y él me dijo: Estos son los que han salido de la gran tribulación, y han lavado sus ropas, y las han emblanquecido en la sangre del Cordero* (Apocalipsis 7:13-14).

Pero noten que ellos están en Su santo templo y le

sirven continuamente de día y noche. La iglesia es la novia de Cristo. Jesús dijo: *Ya no os llamaré siervos, porque el siervo no sabe lo que hace su señor; pero os he llamado amigos, porque todas las cosas que oí de Mí Padre, os las he dado a conocer* (Juan 15:15). Así que, tenemos este segundo grupo conformado de los santos martirizados durante el período de la gran tribulación. Ellos serán parte del reino, pero la iglesia ya ha sido raptada. ¡Y este camino es mejor que pasar por el martirio en el período de la gran tribulación!

En Apocalipsis 10:7, leemos más acerca de la séptima trompeta. Dice así: *Sino que en los días de la voz del séptimo ángel, cuando él comience a tocar la trompeta, el misterio de Dios se consumará, como él los anunció a sus siervos los profetas* (Apocalipsis 10:7). *Días* es plural, pero el rapto ocurrirá en un momento, en *un abrir y cerrar de ojos.* Por lo tanto, realmente no podemos relacionar la última trompeta con la séptima trompeta en Apocalipsis. La séptima trompeta de Apocalipsis tendrá lugar durante los *días* del resonar la séptima trompeta. En contraste, cuando la trompeta de Dios suene, nosotros seremos transformados en un momento.

En el Evangelio de Mateo, Jesús dijo: *E inmediatamente después de la tribulación de aquellos días, el sol se oscurecerá, y la luna no dará su resplandor, y las estrellas caerán del cielo, y las potencias de los cielos serán conmovidas. Entonces aparecerá la señal del Hijo del Hombre en el cielo; y entonces lamentarán todas las tribus de la tierra, y verán al Hijo del Hombre viniendo sobre las nubes del cielo, con poder y gran gloria. Y enviará sus ángeles con gran voz de trompeta, y juntarán a sus escogidos, de los cuatro vientos, desde un extremo del cielo hasta el otro* (Mateo 24:29-31). Vemos aquí que inmediatamente después de la tribulación en esos días, Jesús se aparece al mundo entero.

Entonces Él reunirá a Sus escogidos de los cuatro vientos, desde un extremo del cielo hasta el otro. Algunos dirán: "¿Acaso no es, la iglesia la elegida?" Sí. La iglesia es la elegida, pero Israel es también la elegida. Esto es en referencia a Israel, y puede encontrar referencias de ello en varios pasajes en el Antiguo Testamento donde lo mismo es declarado. Dios juntará a todos los judíos de todas partes del mundo. En éste pasaje, Jesús está hablando acerca de Sus elegidos, la nación judía, no la iglesia. Isaías dijo: *Y levantará pendón a las naciones, y juntará los desterrados de Israel, y reunirá los esparcidos de Judá de los cuatro confines de la tierra* (Isaías 11:12). Israel será reunido una vez más.

¿Qué hay acerca de las Escrituras que hablan del anticristo haciendo guerra contra los santos? Daniel 7:21 nos dice: *Y veía yo que este cuerno* (él anticristo) *hacía guerra contra los santos, y los vencía.* En Apocalipsis 13:7a leemos: *Y se le permitió* (al anticristo) *hacer guerra contra los santos, y vencerlos. También se le dio autoridad sobre toda tribu, pueblo, lengua y nación.* ¿Quiénes son los santos? No puede ser la iglesia pues Jesús le dijo a Pedro: *Y sobre esta roca edificaré Mí iglesia; y las puertas del Hades no prevalecerán contra ella* (Mateo 16:18). El hecho que él hace guerra contra los santos y prevalece contra ellos significa que son los santos judíos, no la iglesia.

Yo no creo que la iglesia verá al anticristo levantarse con poder sobre la tierra. No me sorprendería si el anticristo es ya una de las principales figuras en el escenario mundial. Pero no creo que la iglesia verá al anticristo desplegar todo su poder sobre la tierra.

En II Tesalonicenses 2, cuando Pablo habla acerca del hombre de pecado, del hijo de perdición, él declara: *Y ahora vosotros sabéis lo que lo detiene, a fin de que a su debido tiempo se manifieste. Porque ya está en acción el misterio de la iniquidad; solo que hay quien al presente lo detiene, hasta que él a su vez sea quitado de en medio. Y entonces se manifestará aquel inicuo, a quien el Señor matará con el Espíritu de Su boca, y destruirá con el resplandor de Su venida* (II Tesalonicenses 2:6-8).

Yo no creo que el anticristo pueda tomar el mando y la autoridad sobre la tierra mientras la iglesia permanezca aquí. Creo que el Espíritu Santo en la iglesia es la fuerza que detiene a los poderes de las tinieblas de engullir por completo y abrumar al mundo en este momento. Pero una vez que la iglesia es removida, no habrá nada que impida o detenga a los poderes de las tinieblas de tomar el control total. Esto que detiene, lo detendrá hasta que Él, el Espíritu Santo, sea quitado de en medio. Entonces el hombre de pecado, el hijo de perdición, será revelado. Ésta es la razón por la cual yo no espero al anticristo. Es sólo otra artimaña sutil y engañosa de Satanás, que conduce a la gente a esperar al anticristo en vez de esperar a Jesucristo.

La razón por la que algunas personas tienen sus escenarios proféticos confundidos es porque ellos espiritualizan y hacen de la iglesia Israel. Dicen: "Dios ha terminado con la nación de Israel porque ella rechazó al Mesías." Creen que Dios ha descartado a Israel y la ha reemplazado con la iglesia, y que la iglesia es ahora el "Israel de Dios." Ellos toman aquellas profecías que se refieren a Israel como nación y las aplican a la iglesia. Cuándo hace esto, ¡confunde por completo el cuadro profético!

Si el sol sale ésta mañana, entonces el pacto de Dios con Israel permanece en pie. Él dijo: *Hasta tanto el sol se levante, Mi pacto con Israel permanecerá.* Dios no ha dejado a un lado a Israel. En el libro de Óseas, Dios dice: *Regresa y recíbela a ella de nuevo. Lávala, aséala; y tómala de nuevo.* Daniel capítulo nueve dice que Dios aun tiene un pacto de siete años para cumplir con Israel, durante el cual Él tratara de manera directa con ellos otra vez.

En el Antiguo Testamento usted encuentra el rapto en tipología. Enoc es un tipo de la iglesia quien fue trasladado antes del juicio del diluvio. Daniel, yo creo, es también un tipo de la iglesia. Recuerde que el rey Nabucodonosor construyó su gran imagen y demando que todos le adorasen. Creo que esto es un tipo de la estatua que el Anticristo construirá, pondrá en el templo, y demandará que todos la adoren.

Nabucodonosor exigió que todos se postraran ante la gran imagen al sonido de la música. Así que cuando la música sonó, todos se postraron, con la excepción de Sadrac, Mesac y Abed-nego. Los caldeos se lo dijeron a Nabucodonosor, ¡hay tres varones judíos, Sadrac, Mesac y Abed-nego que no adoran la estatua de oro que has levantado. La música sonó, y ellos permanecieron de pie!

Así qué mandó por los tres varones hebreos: *Y les dijo: ¿Es verdad . . . no honráis la estatua de oro que he levantado?. . . porque sino la adorareis . . . serán echados dentro de un horno de fuego ardiendo . . .* ellos respondieron: *No es necesario que te respondamos sobre este asunto . . . nuestro Dios a quien servimos, puede librarnos del horno de fuego ardiendo y de tu mano, oh rey nos librará. Y si no, sepas oh rey . . . ni tampoco adoraremos . . .* (Daniel 3:14-18). ¡Me gusta esta clase de firmeza! ¡Nadie detiene a hombres como estos!

Nabucodonosor estaba tan furioso que ordenó que se calentase el horno siete veces más de lo acostumbrado. ¡Los tres hebreos fueron arrojados dentro y los hombres que los echaron fueron consumidos, ya que se acercaron demasiado al fuego! Pero lo único que se les quemó a Sadrac, Mesac y Abed-nego fueron las sogas con las cuáles los caldeos los habían atado. Nabucodonosor miró dentro del horno y preguntó: ¿Cuántos echamos hacia dentro? Contestaron, "Tres, oh Rey" "¿Por qué, veo cuatro?" "¡Están caminando en medio del fuego!" Y el cuarto se parece al Hijo de Dios. "¡Sadrac, Mesac y Abed-nego salgan de ahí!"

Cuando ellos salieron, ni un pelo estaba quemado. ¡Ni siquiera olían a humo! Todos estaban asombrados. Y Nabucodonosor grande en hacer proclamaciones, dijo: "Yo proclamo que no hay un Dios en toda la tierra como el Dios de Sadrac, Mesac y Abed- nego. Quién, fue capaz de liberarlos del ardiente horno de fuego."

¿Pero dónde estaba Daniel cuando todo esto ocurría? ¿Cree qué Daniel se postró ante la imagen? Si así es, ¡usted conoce a un Daniel diferente del que yo conozco! Recuerde que en el primer capítulo, Daniel había propuesto en su corazón que no se contaminaría, incluso con la comida del rey. No creo que un hombre con tal determinación en su corazón se postraría. Daniel probablemente estaba ausente atendiendo los asuntos del rey. Daniel viene a ser un tipo de la iglesia la cual ha sido removida cuando el anticristo erija su imagen y demande que todos la adoren. Nosotros, la iglesia, tendremos cuidado de otros asuntos en la ¡escena celestial!

Cuando usted se da cuenta que la fuente de la tribulación es Dios, automáticamente esto excluye al pueblo de Dios de estar involucrado. No sería justo, o consistente de parte de Dios el juzgar al justo con el inicuo.

Pedro nos dice que sí Dios: *No perdonó al mundo antiguo, sino que guardó a Noé, pregonero de justicia, con otras siete personas, trayendo el diluvio sobre el mundo de los impíos* (II Pedro 2:5). Dios guardó al justo, pero trajo el diluvio sobre el mundo de los impíos. De esto se trata el juicio. Su objetivo es el mundo de los impíos. *Y si condenó por destrucción a las ciudades de Sodoma y de Gomorra, reduciéndolas a ceniza y poniéndolas de ejemplo a los que habían de vivir impíamente* (II Pedro 2:6). Pero Él: *Libró al justo Lot, abrumado por la nefanda conducta de los malvados (porque este justo, que moraba entre ellos, afligía cada día su alma justa, viendo y oyendo los hechos inicuos de ellos), sabe el Señor librar de tentación a los piadosos, y reservar a los injustos para ser castigados en el día del juicio* (II Pedro 2:7-9). Esto nos declara el propósito de Dios.

Creo que, a través de los tipos del Antiguo Testamento como Lot, Noé, Enoc y Daniel, vemos la verdad que la iglesia no estará acá durante la gran tribulación. La Escritura claramente expone: *Porque no nos ha puesto Dios para ira, sino para alcanzar salvación por medio de nuestro Señor Jesucristo,* (I Tesalonicenses 5:9). *Pues mucho más, estando ya justificados en Su sangre, por Él seremos salvos de la ira* (Romanos 5:9). *Porque la ira de Dios se revela desde el cielo contra toda impiedad e injusticia de los hombres que detienen con injusticia la verdad* (Romanos 1:18). Pero esto no describe al hijo de Dios.

Yo creo que Dios desea que cada iglesia en su generación crea que es la última. Creer esto tiene un triple efecto. Primero, nos da una urgencia por el trabajo que estamos haciendo, de llevar el Evangelio adelante. No tenemos mucho tiempo: *Por tanto . . . despojémonos de todo peso y del pecado que nos asedia, y corramos con paciencia la carrera que tenemos por delante* (Hebreos 12:1). Lo que se nos ha llamado a hacer, debemos hacerlo pronto. Hay una urgencia en nuestro trabajo. Necesitamos llevar el mensaje adelante porque no tenemos mucho tiempo. ¡El Señor regresa pronto!

En segundo lugar, nos da una perspectiva correcta de las cosas materiales. El mundo material va a quemarse. Ponemos todas nuestras inversiones en las cosas de este mundo material, pero todas ellas se perderán. Jesús dijo: *Sino haceos tesoros en el cielo* (Mateo 6:20). Él dijo: "Use riquezas injustas para propósitos eternos," Si Dios lo bendice financieramente, que bueno. Pero necesitamos usarlo con un propósito eterno. El inminente retorno de Jesús, nos da el balance correcto entre las cosas del Espíritu y las cosas materiales del mundo. Reconocemos que el mundo material pasa enseguida y que solamente aquellas cosas que son eternas permanecen. Sabiendo que solamente tenemos una vida y que pronto pasará, reconocemos que permanecerá sólo lo que hagamos por Cristo. Esto nos da una perspectiva apropiada.

La tercera razón por la cual estoy convencido que Jesús desea que cada generación crea que es la última, es porque mantiene la pureza en nuestras vidas. Jesús dijo: *Bienaventurado aquel siervo al cual, cuando su señor venga, le halle haciendo así* (Mateo 24:46). No quiero que cuando el Señor venga me encuentre viendo una película clasificada X o páginas pornográficas en Internet. ¡Imagínese! Creer que Jesús regresa en cualquier momento dará pureza a nuestra vida. ¡Él Señor puede venir hoy! *Bienaventurado aquel siervo al cual, cuando su señor venga, le halle haciendo así. Juan dijo: Amados, ahora somos hijos de Dios, y aún no se ha manifestado lo que hemos de ser; pero sabemos que cuando Él se manifieste, seremos semejantes a Él, porque le veremos tal como ÉL es. Y todo aquel que tiene esta esperanza en Él, se purifica a sí mismo, así como Él es puro* (1 Juan 3:2-3). Nos da una esperanza pura. Por esto yo creo que es importante mantener este distintivo de creer en el inminente retorno de Jesucristo y no desecharlo.

Yo estoy esperando al Señor que venga de los cielos, y me arrebate para poder estar con Él. Como él dijo: *Velad, pues, en todo tiempo orando que seáis tenidos por dignos de escapar de todas estas cosas que vendrán, y de estar en pie delante del Hijo del Hombre* (Lucas

21:36). ¡Es mí oración y expectativa estar allá, y lo más emocionante es que puede suceder en cualquier momento! Yo creo que en cada era de la iglesia el Señor intenta que vivamos con ésta anticipación.

Yo creo que la esperanza de la gloriosa aparición de nuestro gran Dios y Salvador Jesucristo es el destello que Dios ha usado para traer avivamiento a través de la iglesia. Esto es lo que es avivamiento resplandeciente hoy día, el hecho de que no tenemos mucho tiempo. El Señor viene pronto. Estamos viviendo al borde, como Pablo dice: *Y esto, conociendo el tiempo, que es ya hora de levantarnos del sueño; porque ahora está más cerca de nosotros nuestra salvación que cuando creímos* (Romanos 13:11).

Que Dios nos ayude a mantener esta bendita esperanza y llevarla a toda la gente para que:

1. Puedan conocer la urgencia de vivir para Jesucristo abundante y completamente.

2. Puedan tener la prioridad correcta respecto a las cosas del mundo las cuales fácilmente nos agarran y nos retienen.

3. Puedan vivir vidas de pureza.

Puedan mantener su corazón y vida puras al servicio del Señor sabiendo qué Él, puede venir en cualquier momento.

Yo quiero estar vigilando, quiero estar listo para encontrarme con Él, cuando Él venga. No quiero estar haciendo alguna cosa que me arrastre o detenga. ¡Quiero estar listo para mí Señor!

Es importante que proclamemos esta enseñanza del rapto y mantener a la gente vigilando y esperando, porque sin esto, ¿Qué esperanza tenemos hoy en el mundo? Necesitamos mantener a la gente enfocada en la verdad, que muy pronto un mejor día viene. ¡Esté listo! El Señor viene por Su pueblo, y Él nos va a llevar a estar con Él.

CAPÍTULO NUEVE

HABIENDO COMENZADO EN EL ESPÍRITU

No que seamos competentes por nosotros mismos para pensar algo como de nosotros mismos, sino que nuestra competencia proviene de Dios, el cual asimismo nos hizo ministros competentes de un nuevo pacto, no de la letra, sino del Espíritu . . .
II Corintios 3:5-6

Calvary Chapel es una obra que empezó en el Espíritu. Cada nuevo y gran movimiento de Dios es nacido del Espíritu. Cuando examinamos la historia de la iglesia y varios de los grandes movimientos de Dios, descubrimos que todos ellos nacieron en el Espíritu. Sin embargo, tales movimientos de Dios históricamente parecen alejarse de este nacimiento en el Espíritu buscando ser perfeccionados en la carne. Esto parece ser un ciclo continuo en la historia de la iglesia. Movimientos que una vez estuvieron vivos en el Espíritu terminan estando muertos en ritualismos.

El ritualismo no es nada más que una rutina, y la

única diferencia entre un surco y la sepultura es el largo y la profundidad. Nosotros vemos la energía de la iglesia consumida en sistemas artificiales de vida diseñados para mantener al cadáver aún respirando. Todo el propósito parece estar concentrado en no dejar morir al movimiento. Creemos que si un programa no puede subsistir por si mismo, lo más misericordioso es dejarlo morir.

Leemos en el libro de Jueces el ciclo continúo de infidelidad por parte de los israelitas. Es casi repugnante ver, como los hijos de Israel hacían lo malo ante los ojos del Señor, y como el Señor los entregó a sus enemigos. Estuvieron en cautiverio y casi después de cuarenta años, clamaban al Señor. Dios. Los escuchaba, enviaba un libertador, las cosas continuaban bien por un tiempo. Pero entonces, los hijos de Israel otra vez hacían lo malo ante los ojos del Señor, y de nuevo iban al cautiverio. Este mismo ciclo lo vemos en nuestras vidas. Cuando las cosas nos van bien, tenemos la tendencia a descuidarnos y es entonces cuando nos metemos en problemas y clamamos al Señor. Cada vez que leo Jueces, me enojo contra los hijos de Israel, pienso: "¿Cómo pudieron darle la espalda al Señor?" "¿Acaso no ven lo que está pasando? ¿No pueden ver el ciclo que está ocurriendo?"

Conforme veo la historia de la iglesia, veo lo mismo. Dios levanta un nuevo movimiento. Es nacido del Espíritu. Hay entusiasmo, avivamiento y un poderoso movimiento del Espíritu. Consideremos algunos de los movimientos modernos, cuando Dios usó a hombres como John Wesley y Martín Lutero. Es evidente que el poder y la unción del Espíritu estuvieron sobre sus vidas. Sin embargo, cuando examinamos a las iglesias Metodista y Luterana, con pocas excepciones están involucradas con el modernismo. Existe una gran escasez del Espíritu, incluso niegan el poder y los dones del Espíritu. Sin embargo, los movimientos fueron nacidos del Espíritu. Así continua la historia de la iglesia. Dios levanta una nueva obra y comienza un nuevo movimiento. Calvary Chapel se encuentra en la primera fase del ciclo. El Espíritu de Dios se movió, y se está moviendo, y ha levantado una nueva obra, que comenzó en el Espíritu. Así como le dijo el Señor a Zacarías: *No con ejército, ni con fuerza, sino con Mi Espíritu, ha dicho Jehová de los ejércitos* (Zacarías 4:6b).

Pablo escribió a las iglesias en Galacia, iglesias que comenzaron en el Espíritu, reprendiéndoles: *¿Tan necios sois? ¿Habiendo comenzado por el Espíritu, ahora vais acabar por la carne?* (Gálatas 3:3). Dios recorrerá enormes distancias para estar seguro de que los líderes que Él ha elegido confían en el Espíritu y no en su poder y sabiduría. Es interesante observar a los hombres que Dios ha usado, y que Él ha levantado para conducir a la gente en el camino del Señor.

Moisés es uno de los ejemplos. Recuerda la historia de la zarza ardiendo. Cuando Dios llamó a Moisés, inicialmente objetó: *¿Quién soy yo para que vaya a Faraón, y saque de Egipto a los hijos de Israel?* (Éxodo 3:11a). Moisés dijo: *Señor, yo no tengo ninguna confianza. ¿Quién soy yo? Yo he estado fuera de aquí por cuarenta años.* Me imagino que él esperaba pasar el resto de su vida simplemente cuidando ovejas. Él supuso qué ese era su rol en la vida. Por consiguiente, cuando el Señor lo llamó, él respondió: *¿Quién soy yo?* No confío en mí mismo Señor.

Ahora bien, es interesante que él comenzara con mucha confianza, pero el Señor se la quitó. Es interesante ver que una vez él tuvo un sentido del destino. Esteban nos dice que él pensó que Israel entendería que Dios lo había elegido a él para guiarlos pero no lo entendieron hasta la segunda vez (Hechos 7). Esto es una buena ilustración de la diferencia entre la obra de la carne y la obra del Espíritu. Moisés primero intentó hacer la obra de Dios con la fuerza de su carne, pero con su poder él no pudo ni siquiera enterrar con éxito al egipcio. Sin embargo, cuando él fue guiado por el Espíritu, Israel logró enterrar a todo el ejército de los egipcios.

La mayoría de nosotros podemos identificarnos con la experiencia de Moisés. Frecuentemente comenzamos en la carne para llevar a cabo lo que sentimos que es el llamado de Dios en nuestras vidas. Comenzamos muchas veces en la carne y no lo logramos. Pienso que cuando una persona fracasa en la carne, muchas veces enfrenta el desierto y deja el ministerio, para muchas veces no regresar. La persona se desanima y se rinde, porque trató de lograr en su carne lo que sintió verdaderamente que era el llamado de Dios en su corazón.

Precisamente eso hizo Moisés. Él sintió el llamado de Dios en su corazón. Él sabía que Dios lo había llamado para un propósito, pero se encontró él mismo allá en el desierto por cuarenta años. Durante este tiempo, él perdió su estima y la confianza de lo que Dios podía hacer a través de él. Aun cuando él sabía que tenía todas las cartas de su lado, él falló. Pero la respuesta de Dios a la objeción de Moisés fue: *Vé, porque yo estaré contigo* . . . (Éxodo 3:12). ¡Para mí esto es glorioso! . . . *Si Dios es por nosotros, ¿quién contra nosotros?* (Romanos 8:31).

Entonces Moisés respondió diciendo: *He aquí que ellos no me creerán, ni oirán mi voz; porque dirán: No te ha aparecido Jehová* (Éxodo 4:1). En otras palabras él estaba diciendo: Señor, yo no tengo credibilidad, no van a creerme, van a decir que el Señor no me ha hablado. La respuesta de Dios a la objeción de Moisés fue: *¿Qué es eso que tienes en tú mano?* Él respondió: *Una vara,* Dios dijo: *Tírala a tierra* . . . (Éxodo 4:2-3a). Y entonces a través de una serie de señales, el Señor le aseguró que estaría con él.

En el versículo diez del capítulo cuatro, Moisés le dijo al Señor . . . *¡Ay, Señor! Nunca he sido hombre de fácil palabra, ni antes, ni desde que Tú hablas a tu siervo; porque soy tardo en el habla y torpe de lengua.* Moisés le imploró, "no soy hábil ni elocuente, soy tardo para hablar y torpe de lengua." A esta objeción Dios le dijo: "¿Quién dio la boca al hombre?". . ."¿Quién le dio la habilidad para hablar?" Dios es capaz de superar nuestras limitaciones. En primer lugar Él es quien creó nuestras bocas.

Y entonces en el versículo trece, él dice: *¡Ay, Señor! Envía, te ruego, por medio del que debes enviar.* En otras palabras: "Señor, consigue a alguien más que haga el trabajo. No tengo la motivación ni quiero hacerlo, sólo consigue a otro." Es aquí cuando el Señor se molesta con Moisés, y optó por un plan alterno. Escoge a Aarón para ser el portavoz de Moisés, pero este fue el plan alterno de Dios. Esto es triste, pero a veces nos perdemos lo mejor de Dios y lo forzamos a escoger el Plan B.

Yo creo en una voluntad directa y en una voluntad permisiva de Dios. Creo que Dios nos llevará a los niveles más altos que le permitamos y hará lo mejor para nosotros en ese nivel. Pero también creo que algunas veces forzamos a Dios a nuestro nivel en lugar de ser elevados al nivel de Él. Hacemos descender a Dios involucrándolo en nuestro nivel de responsabilidad.

Observe lo que Dios tuvo que pasar a fin de usar a este hombre Moisés, un hombre sin confianza, sin credibilidad, sin habilidad y sin motivación, siendo escogido por Dios para liberar al pueblo.

En el libro de Jueces, cuando los hijos de Israel hicieron lo malo ante los ojos del Señor y comenzaron a adorar falsos dioses, Dios los entregó en manos de los madianitas. Los madianitas cubrieron la tierra como langostas, tomaban las cosechas tan pronto estaban listas para la siega. Los hijos de Israel comenzaron a clamar al Señor a causa de su servidumbre y miseria. Por tanto, el Señor envió Su ángel a Gedeón quién estaba trillando el trigo en el lagar para esconderlo de los madianitas. El ángel del Señor le dijo a Gedeón: *Vé con esta tu fuerza, y salvarás a Israel de la mano de los madianitas* . . . (Jueces 6:14). Y Gedeón respondió, *Ah, señor mío, ¿con qué salvaré yo a Israel? He aquí que mi familia es pobre en Manases, y yo el menor en la casa de mi padre* (Jueces 6:15). "Señor, tu estás raspando el fondo del barril." *Mi familia es pobre y yo soy el menor de mi familia.*

Él pensó que se estaba descalificando pero en realidad se estaba calificando porque él era la clase de persona que Dios estaba buscando. Dios deseaba usar a una persona que sepa que no tiene la capacidad o habilidad para rescatar una nación, y a una persona que tenía que confiar en el Señor en cualquier cosa que tuviera que ser hecha. Dios también tuvo que traer a Moisés a este punto para poder usarlo.

Cuando no confiamos en nuestras fuerzas, sabemos que si el trabajo debe ser hecho, tiene que ser hecho por el Señor. Cuando sentí el llamado de Dios en mí vida para el ministerio, fui al instituto bíblico y me preparé. Mientras estaba en el instituto bíblico fui presidente de la promoción, presidente del cuerpo estudiantil, y desarrollé un programa atlético para la escuela. Realmente sentí que tenía mucho que ofrecer. Cuando comencé en el ministerio, estaba seguro que tenía todas las calificaciones y antecedentes para construir una iglesia exitosa a donde fuera.

Tenía una gran confianza, pero el Señor me hizo pasar a través de este ciclo. Él permitió que luchara por diecisiete años sin éxito. Tuve un trabajo secular para sostener a mi familia y poder permanecer en el ministerio. Si no hubiese sido por ése sentido del llamado de Dios sobre mi vida, me hubiera rendido. En realidad, intenté dejar el ministerio en un par de ocasiones, pero el Señor me trajo de vuelta. Todo esto tenía que ocurrir a causa de la confianza que tenía en mis habilidades.

Dios me permitió desaprovechar los mejores años de mí vida fallando, hasta que Él finalmente me trajo al lugar donde reconocí que realmente no tenía nada para dar. Entonces solamente comencé a apoyarme en el Espíritu y depender de Él. Fue entonces cuando pude observar la obra de Dios por Su Espíritu, no estuve tentado a tomar la gloria por lo que Dios estaba haciendo. Él me trajo a la cruz y me vació junto con mis ambiciones. Cuando Dios comenzó a obrar por Su Espíritu, esto vino a ser muy gozoso, una experiencia emocionante sólo de ver lo que Dios era capaz de hacer.

Este proceso es necesario muchas veces. Cuando Gedeón dijo: *He aquí que mi familia es pobre en Manasés, y yo el menor en la casa de mi padre* (Jueces 6:15b). En lugar de descalificarse él estaba en realidad afirmando que Dios había encontrado la clase de hombre que buscaba, uno que no tomaría el crédito o gloria por las victorias, sino que daría la gloria a Dios.

Es interesante que cuando Dios usó a Gedeón y los madianitas fueron esparcidos y derrotados, los israelitas vinieron donde Gedeón, y dijeron: *Sé nuestro señor . . . Mas Gedeón respondió: No seré señor sobre vosotros, ni mi hijo os señoreará: Jehová señoreará sobre vosotros* (Jueces 8:22-23). Éste es la clase de hombre que Dios está buscando.

Yo veo a los hombres que Dios juntó alrededor de David. Todos estaban en apuros, con deudas y descontentos. Se le unieron y él vino a ser su capitán, eran un puñado de descontentos y derrotados, cerca de 400 hombres, pero Dios levantó de estos hombres a un poderoso ejército.

También, observé a los hombres que Dios puso a mí alrededor y hasta cierto punto contengo la risa de ver a los hombres que Dios usa. Son como los hombres de David, una clase de rechazados y apartados de la sociedad y no obstante vean lo que Dios ha hecho.

Cuando Dios llamó a Jeremías, él respondió: *¡Ah! ¡Ah!, ¡Señor Jehová! He aquí, no sé hablar porque soy niño* (Jeremías 1:6). Cuando Jesús llamó a Sus discípulos, Él escogió pescadores y un recaudador de impuestos. Él no fue a la universidad hebrea en Jerusalén y dijo: "Ahora bien, Gamaliel, ¿Cuáles son tus estudiantes más hábiles y excelentes aquí?" Él fue al Mar de Galilea y llamó a estos pescadores.

Así que, en Calvary Chapel no es la primera vez que Dios ha usado lo rechazado de la sociedad para hacer una obra maravillosa. Es interesante y da tristeza que una vez que Dios comienza a usarnos, nosotros empezamos a buscar las razones por las cuales Dios nos usaría. Tratamos de ser perfeccionados en la carne.

Escribiéndole a los Corintios Pablo dijo: *Pues mirad hermanos, vuestra vocación, que no sois muchos sabios según la carne, ni muchos poderosos, ni muchos nobles* (I Corintios 1:26). Los está exhortando a observar que Dios no llama a muchas personas calificadas, sabias, poderosas y nobles. Continúa diciéndoles: *Sino que lo necio del mundo escogió Dios, para avergonzar a los sabios; y lo débil del mundo escogió Dios, para avergonzar a lo fuerte; y lo vil del mundo y lo menospreciado escogió Dios, y lo que no es, para deshacer lo que es* (1 Corintios 1:27-28).

Él entonces nos da la razón en 1 Corintios 1:29: *A fin de que nadie se jacte en Su presencia.* Todo el propósito de Dios es escoger aquellos que no están calificados, y luego los unge con Su Espíritu. Entonces, cuando los resultados se están produciendo, son un asombro y maravilla para el mundo. Él no desea que ninguna carne se gloríe en Su presencia.

Lucas nos dice en el capítulo diez que los discípulos

regresaron contentos por la obra de Dios a través de sus vidas. En aquella hora, mientras ellos hablaban acerca de esto, Jesús se regocijó en el Espíritu, y dijo: *Yo te alabo, Oh Padre, Señor del cielo y de la tierra, porque escondiste estas cosas de los sabios y entendidos, y las has revelado a los niños. Sí, Padre, porque así te agradó* (Lucas 10:21). Jesús estaba agradeciendo al Padre que Él escondió estas cosas de los sabios y prudentes y las había revelado a la gente simple, porque así le agradaba.

Es interesante que habiendo empezado en el Espíritu, muchas veces, buscamos ser perfeccionados en la carne. Algunos de los pastores de Calvary Chapel han regresado a la Universidad, algunas universidades estaban ansiosas por recibirlos debido al éxito de sus ministerios, y querían señalarlos como graduados de sus programas y así verse asociadas, con el éxito de sus ministerios y les ofrecían créditos por sus experiencias personales. Por lo que sólo necesitaron tomar unos cuantos cursos y con los créditos recibidos por su experiencia personal obtuvieron sus títulos. Ahora estas instituciones, los señalan como ejemplos clásicos del éxito de sus graduados.

Algunos de ellos regresaron a la universidad para obtener grados porque cuando eran entrevistados siempre les preguntaban "¿qué grados tiene usted?" Es vergonzoso responder:

"Bueno, no tengo ningún grado."

"¿A cuál seminario asistió?"

"Yo no asistí a ningún seminario."

"¿A qué universidad asistió?"

"Apenas obtuve mi educación básica."

Es muy vergonzoso admitir, que no se tiene una educación formal. Cuando "Quién es Quién" le escribe para entrevistarlo en la edición de ese año, ellos quieren saber que títulos tiene, a cual universidad asistió, porque el hombre quiere poder decir: "Bueno, éste hombre tiene un doctorado." De alguna manera u otra nos sentimos que podemos ser perfectos e incluso preparados en la carne. Nosotros hemos empezado en el Espíritu y la única manera de continuar teniendo éxito es continuar en el Espíritu.

En Mateo 11:25: *Respondiendo Jesús, dijo: Te alabo, Padre, Señor del cielo y de la tierra, porque escondiste estas cosas de los sabios y de los entendidos, y las revelaste a los niños.* Es interesante como tratamos de descalificarnos de la revelación de la verdad de Dios haciéndonos sabios y prudentes. Jesús estaba gozoso de que Su Padre no reveló estas verdades a los sabios y entendidos, sino a niños de manera que la gloria fuese para Dios.

Cuando Gedeón estaba listo para ir en contra de los madianitas, lo superaban grandemente en número. Hubo al menos 135.000 madianitas y él tenía solamente 32.000 hombres que se enrolaron en el primer llamado. *Y Jehová dijo a Gedeón: El pueblo que está contigo es mucho para que yo entregue a los madianitas en su mano, no sea que se alabe Israel contra mí, diciendo: Mi mano me ha salvado* (Jueces 7:2). El Señor está diciendo que él no puede hacerlo con los 32.000. Dios quiere obrar y Él desea la gloria por la obra que hace. Es por eso que Él usa las cosas simples de este mundo a fin de confundir al sabio. La gente solamente puede mirar, sacudir sus cabezas, y decir: "Yo no lo entiendo, pero la unción de Dios esta ahí. Dios seguramente los está usando." Yo me pregunto cuantas veces la obra que Dios quiere hacer se obstruye porque no puede encontrar a hombres simples. Todo lo que Él tiene es a un montón de doctorados aquí.

Ahora bien, yo he sido acusado de no ser intelectual. Incluso Calvary Chapel muchas veces es señalada de no ser intelectual. Supongo que soy culpable, pero no me disculpo de ello. Yo creo en la educación. Mi propia vida ha sido una vida de estudio. La Escritura nos dice: *Procura con diligencia presentarte a Dios aprobado, como obrero que no tiene de qué avergonzarse, que usa bien la Palabra de verdad* (II Timoteo 2:15). Yo creo que Dios usa instrumentos humanos, y que Él prepara los instrumentos que usa. Creo que es importante estar preparado en la Palabra de Dios, pero no desde un punto de vista puramente humanista. La verdadera educación no proviene de la sabiduría del mundo, sino de la guía y sabiduría que proviene del Espíritu Santo.

Cuando los discípulos comparecieron ante el consejo religioso, el consejo se asombró de su entendimiento de las Escrituras. Notaron que habían estado con Jesús. Del mismo modo, cuando pasamos tiempo con Jesús, en Su Palabra, conseguimos todo lo que necesitamos para prepararnos para el servicio y el ministerio. No se necesitan cuatro años de seminario y algún doctorado. Muchas veces estos pueden ser más un gran estorbo que una bendición. Yo creo que el título 'doctor' pone una pared entre usted y la gente, lo cual lo hace menos efectivo al ministrarles. La gente lo pone en un pedestal en el momento que le dicen 'doctor.' Se pone así mismo en un nivel sobre ellos, y ellos se sienten inferiores. Entonces realmente no les ministra a un nivel en el que puedan interactuar.

Calvary Chapel tiene una conferencia anual de pastores, por lo que tenemos varias reuniones del consejo para planear éste evento. Me reúno con Raúl Ries, Mike MacIntosh, Greg Laurie, Skip Heitzig, y otros. En la junta que tuvimos después que Raúl y Mike obtuvieron sus doctorados, todos bromeaban acerca de sus títulos. 'Dr. Raul Ries' y 'Dr. Mike MacIntosh.' Les hicimos pasar un mal rato, uno del grupo comentó, "Bien, si ustedes pueden ir a la escuela y obtener suficiente educación, ahora pueden probablemente reducir sus iglesias a un tamaño manejable."

Pienso que esto es típico, porque habiendo comenzado en el Espíritu, si va a tratar de perfeccionarse en la carne, solamente va obstaculizar lo que Dios ha hecho y quiere hacer. La única manera es continuar en el Espíritu. ¡Habiendo comenzado en el Espíritu, continuemos en el Espíritu! Gracias a Dios que Raúl sigue siendo Raúl y Mike sigue siendo Mike, hombres que conocen sus propias limitaciones e incapacidades, hombres quienes aún confían enteramente en el Espíritu.

El Señor dijo a Jeremías: *No se alabe el sabio en su sabiduría, ni en su valentía se alabe el valiente, ni el rico se alabe en sus riquezas. Más alábese en esto el que se hubiere de alabar: En entenderme y conocerme* (Jeremías 9:23-24). Esta es la única cosa meritoria, que usted entienda y conozca a Dios: *Yo Soy Jehová, que hago misericordia, juicio y justicia en la tierra; porque estas cosas quiero, dice Jehová* (Jeremías 9:24b).

Esta es la razón porque Dios escoge gente totalmente descalificada como nosotros, nos llena con Su Espíritu, y entonces hace una poderosa obra a través de nosotros que aturde y confunde al mundo. Ahora, ¿cómo podemos ser tan necios en tratar de encontrar alguna razón en nosotros para explicar el porque Dios nos usó y, por tanto, gloriarnos en nosotros más bien que gloriarnos en el Señor y en lo que Él ha hecho?

Pablo escribiéndoles a los corintios nos dice: *Porque ¿quién te distingue? ¿o qué tienes que no hayas recibido? Y si lo recibiste, ¿por qué te glorías como si no lo hubieras recibido?* (1 Corintios 4:7). ¿Qué tiene usted más que los demás? Lo que sea que tenga, lo ha recibido como un regalo de Dios, ¿si lo recibió porqué se gloría como si no lo hubiera recibido, acaso piensa que es alguien especial?

CAPÍTULO DIEZ

LA SUPREMACÍA DEL AMOR

En esto conocerán todos que sois Mis discípulos, si tuviereis amor los unos con los otros.
Juan 13:35

Sin amor todos los dones y operaciones del Espíritu Santo no tienen significado y son sin valor. *Si yo hablase lenguas humanas y angélicas, y no tengo amor, vengo a ser como metal que resuena, o címbalo que retiñe* (1 Corintios 13:1). Pablo dice que hay algunos que ponen un énfasis excesivo en hablar en lenguas, y buscan éste don como la evidencia primordial de ser llenos o bautizados del Espíritu. Pero si estas mismas personas no tienen amor, el hablar en lenguas no es más significativo que el ruido hecho al golpear un címbalo o triángulo. Es sólo ruido. No es una prueba o evidencia de nada. Esto podría tenerse como evidencia primaria de la presencia del Espíritu, pero no prueba nada sino hay amor. Es lo mismo que un instrumento de metal que resuena o un címbalo que retiñe. Sólo es ruido, pero no una prueba real.

Toda nuestra ortodoxia doctrinal y entendimiento

de la Escritura no tienen valor alguno sin el amor. Aún cuando yo entienda los grandes misterios, cosas como el misterio de la deidad, la soberanía de Dios o la responsabilidad del hombre, si no tengo amor, son inservibles. Si estoy ante la gente tratando de hacerles creer y ver mi punto de vista, a mí pureza doctrinal no le beneficia en nada. Todo es sin valor si no hay amor.

He llegado a la conclusión que es más importante que yo tenga la actitud correcta que tener la respuesta correcta. Si mis respuestas son erróneas, Dios puede corregirlas en un momento por la revelación de Su verdad. Pero muchas veces toma una vida entera para cambiar una actitud. Es mejor que tengamos la actitud correcta y la respuesta equivocada, que la respuesta correcta y la actitud equivocada. Recuerde esto la próxima vez que tenga una discusión con alguien sobre alguna posición doctrinal o controversial.

Es el deseo supremo de Dios que nosotros experimentemos Su amor y que lo compartamos con otros. Jesús dijo: *Un mandamiento nuevo os doy: Que os améis unos a otros, como Yo os he amado, que también os améis unos a otros* (Juan 13:34). Esto es un gran mandato. Entonces Él dijo: *El que tiene Mis mandamientos, y los guarda, ése es el que Me ama, y el que Me ama, será amado por Mi Padre, y Yo le amaré, y Me manifestaré a él* (Juan 14:21). Juan dijo: *Si alguno dice: Yo amo a Dios, y aborrece a su hermano, es mentiroso. Pues el que no ama a su hermano a quien ha visto, ¿cómo puede amar a Dios a quien no ha visto?* (1 Juan 4:20). Y él se pregunta: *¿Cómo mora el amor de Dios en él?* (1 Juan 3:17b).

Juan nos habla bastante acerca de guardar los mandamientos de Dios en su primera epístola. Pero, ¿cuál es el mandamiento que hemos oído de Él? Es el que debemos amarnos los unos a los otros.

A medida que ministramos a una congregación o a un grupo, sea un estudio bíblico en un hogar o una iglesia de diez mil personas, necesitamos estar seguros que uno de nuestros mayores temas es el amor. Este amor necesita ser demostrado por nuestras acciones, actitudes y vida. Que todos puedan ver el amor de Cristo manifestado en nosotros. Como Pablo dijo a Timoteo: *Sino sé ejemplo de los creyentes en palabra, conducta, amor, espíritu, fe y pureza* (I Timoteo 4:12b). Procure constantemente tener entendimiento y ser compasivo, viendo a la gente en y a través de la compasión de Jesucristo.

He descubierto que el secreto para la compasión es el entendimiento. Ezequiel dijo: *Y me senté donde ellos estaban sentados . . .* (Ezequiel 3:15). Pienso que esto es algo bueno de hacer, al menos en su mente. Póngase en los zapatos de los demás. Póngase usted mismo en las situaciones de su vida. Siéntese donde él esta sentado. Vea las cosas desde su perspectiva. Nosotros siempre vemos las cosas solamente desde nuestro lado, pero trate de verlas del otro lado.

Algunas veces hay personas que nos irritan por sus hábitos o por ciertas características que nos son desagradables. Escuché al Dr. James Dobson una vez decir que había un compañero en la escuela al que él odiaba completamente, y que el muchacho también lo odiaba a él. Todo el tiempo en la escuela no pudieron soportarse. Tiempo más tarde el Dr. Dobson se encontró al tipo en una convención, y él sabía que iba a tener que enfrentarlo. Así que, escribió las cosas que le irritaban y le disgustaban acerca del tipo. Entonces cuando lo encontró le dijo, "¡sabe tengo que confesarle que cuando estaba en la escuela, lo odiaba por éstas razones!" Entonces comenzó a leerle todas las razones del porque lo odiaba. El tipo respondió diciendo: "¡Bueno, yo también lo odiaba por las mismas razones!" El Dr. Dobson dijo que vio de nuevo sus razones y reconoció que se estaba mirando al espejo. Encuentro que esto es muy cierto y a la vez divertido.

Estos rasgos que nos molestan acerca de nosotros, son los mismos que aborrecemos en los demás. Los hemos tolerado y han vivido en nosotros, pero cuando los vemos en los demás, no podemos soportarlos. Nos irritan y nos molestan. El entendimiento es un componente importante en la compasión.

Por años pasé mis vacaciones dirigiendo campamentos juveniles. Es una de mis experiencias favoritas en la vida. Eran los momentos más gloriosos que siempre esperaba. También iba mí familia, y ellos tenían la oportunidad de disfrutar del campo. Kay generalmente decía, "pero, cariño, no tuviste vacaciones." Le respondía, "ah sí, claro que las tuve."

Cuando se dirigen campamentos juveniles encontrará que hay muchachitos insoportables que si les dice, "siéntense," ellos permanecerán de pie, y si les dice, "párense," ellos se quedaran sentados. Si dice, "no tiren piedras a los árboles, pues puede dañarles la corteza, y los escarabajos pueden entrar a la madera, así que no le tiremos piedras a los árboles," usted invariablemente atrapará a estos jóvenes tirando piedras a los árboles. Siempre están rebeldes. Han venido consejeros a mí diciendo, "Chuck, mejor pasas con otro consejero a este niño porque no me hago responsable de lo que pueda hacerle, lo voy a matar, no lo soporto."

Por lo cual le decía: "Mándamelo." Por supuesto, ellos agarraban al muchacho por el cuello y me lo traían diciendo: "Este es del que te hablé." Lo sentaba, le daba una de mis sonrisas, y le decía: "¿Qué deseas tomar, un refresco, seven-up, sabor de naranja, o algo?" Iba a la tienda y le compraba un refresco y su dulce favorito. Al principio estando sentado allí, en su rebeldía pensaba que no me diría nada. Así que, empecé a romperle su actitud defensiva. Es asombroso ver como un dulce y el azúcar en su sistema quebraría su defensa. Comencé por derribar la pared que él había levantado y empecé a mostrar interés en él. El diálogo usualmente era de esta forma:

"Cuéntame, ¿de dónde eres?"

"Black Canyon"

"¿Dónde está Black Canyon? ¿Es el qué está por el río Verde?"

"Ajá"

Magnífico. ¿Vas al colegio?

"Ajá"

"Bueno, cuéntame de tu familia. ¿Dónde está tu papá?"

"Yo no tengo papá.

"Oh, ¿Qué pasó?"

"Yo no sé. Nunca he tenido un papá."

"Mmm, debe ser duro."

Cuando comienza a averiguar, descubre que su madre trabaja en un bar y tiene a un hombre diferente en casa cada noche, el chico es dejado a su suerte. Los hombres que vienen a casa no son amigables con él, y él ha aprendido a no estorbar. Su madre tampoco está interesada realmente en él. A medida que la historia comienza ha desdoblarse, el corazón de uno siente compasión. Esta pobre criatura no ha tenido una oportunidad. Ha creado todo este resentimiento y todo este odio contra el mundo que le ha tocado vivir. Él ha aprendido a levantar estas paredes. No se arriesga a dejar que nadie se le acerque. Tiene que protegerse. Es el único que vela por sí mismo. Ahora usted tiene el entendimiento, se da cuenta porque él responde y reacciona de la manera que lo hace.

Entonces regreso a donde el consejero, me siento con él, y comparto que es lo que pasa en la vida de esta pequeña criatura. Le doy al consejero entendimiento, de manera que él tenga compasión, varias veces oriento al consejero a que lo haga su ayudante y que mantenga al muchacho cerca a él, de darle alguna responsabilidad, mostrarle mucha atención, y darle mucho apoyo. Son asombrosos los cambios que pueden darse en sólo una semana de compasión.

Como pastor, tendrá gente en su congregación que sentirá por ellos de la misma manera. Le gustaría matarlos. Es muy importante tener entendimiento. Conózcalos.

Trate de entender dónde está la espina, que es lo que les irrita. Si busca entenderlos, tendrá compasión y puede verdaderamente ministrarles. No puede ministrar a alguien de verdad si no siente compasión por ellos. ¿Cuantas veces leemos en las Escrituras? *Y al ver las multitudes,* [Jesús] *tuvo compasión de ellas porque estaban desamparadas y dispersas como ovejas que no tiene pastor* (Mateo 9:35a-36) Él entendía la necesidad. Él no necesitaba que nadie le testificara, porque sabía lo que había en el hombre. Era porque Él tenía compasión, de manera que, trate de comprender.

Jesús dijo a Sus discípulos: *No me elegisteis vosotros a Mí, sino que Yo os elegí a vosotros, y os he puesto para que vayáis y llevéis fruto, y vuestro fruto permanezca* (Juan 15:16). El fruto del Espíritu es amor. Él lo eligió para producir este fruto. En Juan 13:34, después que Él le dijo a los discípulos de amarse unos a otros, como Él nos ha amado, Él les dice: *En esto es glorificado Mi Padre, en que llevéis mucho fruto, y seáis así Mis discípulos. Como el Padre me ha amado, así también Yo os he amado; permaneced en Mí amor* (Juan 15:8-9). De esta manera podemos ver vívidamente la supremacía del amor.

CAPÍTULO ONCE

ENCONTRANDO EL BALANCE

Procura con diligencia presentarte a Dios aprobado, como obrero que no tiene de qué avergonzarse, que usa bien la Palabra de Verdad.
II Timoteo 2:15

Una característica importante en Calvary Chapel es que en nuestras iglesias tenemos el propósito de no dividir al pueblo de Dios en asuntos no esenciales. Esto no quiere decir que no tengamos convicciones firmes. Cuando la Biblia habla claramente, nosotros debemos hacerlo también. Pero en otros asuntos tratamos de reconocer la validez Escritural de ambos lados en debate y evitar excluir o favorecer a aquellos de un lado sobre el otro.

Un ejemplo de cómo incluimos ambas posiciones se encuentra en la manera en que abordamos el tema debatible referente al ministerio del Espíritu Santo. No tomamos una visión típica pentecostal, ni tomamos una visión típica bautista. Al momento que tome su posición de una manera o de la otra perderá a la mitad de su iglesia. ¿Por qué desearía perder a la mitad de su congregación? Es nuestro deseo el que seamos capaces de ministrar al grupo de gente más amplio posible. Al momento que comenzamos a tomar una posición de línea firme en cualquiera de los temas controversiales no fundamentales, enajenamos a parte de la gente. En las doctrinas de fe esenciales tomamos una firme posición. Pero en las áreas no esenciales, aceptamos que la gente pueda tener diferentes puntos de vista y las admitimos con un espíritu de gracia. Es importante reconocer que podemos estar de acuerdo en estar en desacuerdo y aún mantener un espíritu de unidad y amor.

Nosotros creemos en la validez de los dones del Espíritu y que estos dones pueden ser expresados hoy. Pero no creemos en los excesos que muchas veces acompañan al uso libre de los dones del Espíritu. Así que, evitamos la controversia.

Si las personas desean hablar en lenguas, los animamos a que lo hagan en un ambiente devocional privado que les ayude a comunicar su amor, alabanzas y oraciones a Dios. Nosotros tenemos en 1 Corintios 14 nuestro ejemplo bíblico. No insistimos en que una persona hable en lenguas como una evidencia primaria del bautismo del Espíritu Santo. Creemos que hay otras evidencias que son más creíbles que el hablar en lenguas. Como Pablo dijo: *Si yo hablase lenguas humanas y angélicas, y no tengo amor, vengo a ser como metal que resuena, o címbalo que retiñe* (1 Corintios 13:1). No enfatizamos el hablar en lenguas como la manifestación primaria del bautismo del Espíritu Santo, pero vemos al amor como el fruto del Espíritu. Yo creo que podemos pararnos en una base Escritural sólida haciendo esto, y al mismo tiempo animar a la gente a recibir el don de lenguas.

Como Pablo lo explicó, usted puede usarlo en su

vida de oración y de devoción personal, cantándole al Señor. *Porque si yo oro en lengua desconocida, mi espíritu ora, pero mi entendimiento queda sin fruto. ¿Qué, pues? Oraré con el espíritu, pero oraré también con el entendimiento; cantaré con el espíritu, pero cantaré también con el entendimiento. Porque si bendices solo con el espíritu, el que ocupa lugar de simple oyente, ¿cómo dirá el Amén a tu acción de gracias? Pues no sabe lo que has dicho* (I Corintios 14:14-16). Si está en una asamblea pública y no hay un intérprete presente, y alguien está hablando en lenguas, ¿cómo una persona sentada en el lugar de los no entendidos podrá entender? Quizá está alabando a Dios, pero las otras personas no son edificadas. Necesitamos hacer todas las cosas decentemente y en orden. En esta área, nosotros no encajamos en la categoría pentecostal, ni encajamos en la categoría de los cesionistas que niegan cualquier experiencia válida que muestre los dones del Espíritu Santo hoy.

Otro ejemplo de cómo mantener un balance en los asuntos debatibles es nuestro modo de plantear el calvinismo. Esta es un área en el que la gente se ofende mucho. No somos ni calvinistas extremos, ni somos arminianos. Creemos en la seguridad del creyente. No creemos que pueda perder su salvación por que perdió la paciencia o dijo una mentira y por lo tanto, el próximo domingo en el servicio tiene que pasar al frente para arrepentirse y ser salvo de nuevo.

Nosotros creemos en la seguridad del creyente, pero también creemos en la 'perseverancia de los santos.' No creemos que porque usted es santo necesariamente perseverará, sino que necesita perseverar porque es un santo. Jesús dijo: *Si vosotros permaneciereis en Mi Palabra, seréis verdaderamente Mis discípulos;* (Juan 8:31). *El que en Mí no permanece, será echado fuera como pámpano, y se secará; y los recogen, y los echan en el fuego, y arden. Si permanecéis en Mí,* y *Mis Palabras permanecen en vosotros, pedid todo lo que queréis, y os será hecho* (Juan 15:6-7). Fue el mismo Jesús que mencionó la posibilidad que una persona no permanezca en Él. Queremos tomar una posición balanceada en lugar de ponernos de un sólo lado y presionar por los cinco puntos extremos del calvinismo. Cuando toma una posición firme sobre estos puntos no fundamentales, desocupará de su iglesia a todos los que tienen trasfondos metodistas, nazarenos, y otros trasfondos de influencia arminiana. ¿Por qué querer hacer eso?

La seguridad eterna del creyente es uno de los temas más debatibles que existe, hay Escrituras que apoyan ambos lados. Tenemos Juan 3:16 ¿Qué quiere decir con: *Todo aquel que en Él cree?* ¿Quiere decir que cualquiera puede ser salvo? Esto es lo que para mí significa, así que no tomamos la firme posición calvinista de la expiación limitada que dice que Jesús no murió por todos, sino sólo por aquellos que creen en Él; no aceptamos que creer en Él no tenga nada que ver con la responsabilidad del hombre, sino que sea una elección soberana de Dios. Esta posición afirma que Dios ha escogido a algunos para ser salvos y otros para perderse. Si Dios lo escogió para perderse, que mala suerte amigo. No hay nada que podamos hacer. Esto es una negación del libre albedrío. En cambio, nosotros creemos que Dios nos ha dado la capacidad de escoger. La razón por la cual Él nos dio la capacidad de escoger, es para que el amor que le demos sea significativo y real. Es esta posición balanceada la que tomamos.

Existen personas que siempre están tratando de encasillar a Calvary Chapel. ¿Cree usted en la seguridad eterna? Les digo, "si, por supuesto que creo en la seguridad eterna, siempre que permanezca en Cristo, yo estoy eternamente seguro." Ahora discuta esto: Si usted no permanece en Cristo, ¿está usted seguro? ¿Puede tener seguridad aparte de Jesucristo? No conozco de ninguna otra seguridad fuera de Jesucristo. Pero creo que siempre que permanezca en Él, Él me guardará de caer y me presentará sin mancha ante la presencia de Su gloria con gran alegría. Y ningún hombre podrá arrancarme de Su mano. Yo creo esto, y experimento la seguridad de Dios.

Muchas veces estos temas vienen a ser cuestión de semántica. La gente termina dividiéndose sobre la interpretación de unas cuantas palabras. Tuvimos una persona trabajando aquí en Calvary, que estaba muy involucrado en los grupos de apoyo y durante su tiempo con nosotros llevó a muchos a la fe en Cristo, desgraciadamente, fuimos por rumbos separados por lo que él se volvió muy amargado, y ahora él pertenece a un grupo llamado los "Fundamentalistas Anónimos." Él ahora anima activamente a la gente a abandonar la fe bíblicamente basada en Jesucristo.

¿Es salvo él? En realidad, él es un enemigo de Cristo. Si yo fuera un arminiano, diría que es un desertor. Si lo describiera desde una posición calvinista, diría que nunca fue salvo. Ahora ambos describimos al mismo hombre, pero los términos por lo cual lo describimos crean la división.

Reconocemos este hecho. El hombre le dio la espalda a Jesucristo. Es obvio. ¿Es él un desertor, o fue él alguna vez salvo? El problema está en que si digo que él nunca fue salvo, ¿entonces donde está mi seguridad? ¿Cómo sé yo que soy salvo? Él tenía las señales de haber sido salvado. Él tenía un deseo de servir al Señor. Él buscaba llevar a otros a Jesucristo. Yo deseo servir al Señor y deseo guiar a otros a Jesucristo. Así que, tal vez yo no soy salvo. Ahora, esto no me da seguridad.

Así que lo ve, es cuestión de semántica. ¿Cómo podemos describir lo que vemos en la relación de una persona con el Señor? El gran problema está en describirlo como desertor, o si sólo digo que nunca fue salvo. Si nosotros dividimos, naturalmente ocasionamos una división. Hacemos que la mitad de la gente se marche de la iglesia porque yo digo que él es un desertor y la persona a mí lado dice que él nunca fue salvo. Cuando permitimos esta clase de debates, dividimos a la iglesia.

Por esta razón yo no mantengo una posición dogmática sobre esto, porque creo que las Escrituras enseñan ambas, la soberanía de Dios y la responsabilidad del hombre. Si usted escoge una u otra de estas posiciones extremistas, negando a la otra, tiene un verdadero problema, porque las Escrituras enseñan ambas. Quizás usted se pregunte: ¿Cómo podemos reconciliarlas ambas? No lo hago. Yo no tengo que hacerlo. Dios nunca me lo pidió. Dios sólo me pide creerlo. Cuando me encuentro con alguien que vive en fornicación, adulterio o caminando en la carne y dice, "¡No se preocupe por mí hombre! Yo acepté a Cristo en una cruzada de Billy Graham cuando yo era pequeño." Y todavía la persona es un borracho y fornicario. Pero él dice: "¡Una vez salvo, siempre seré salvo! Así, que no se preocupe por mí." Créame, yo voy a sacudir la jaula de este individuo lo mejor que pueda. Y le voy a llevar a Gálatas 5 donde la Biblia habla acerca de las obras de la carne. Al final de la lista la Biblia declara: *Como ya os lo he dicho antes, que los que practican tales cosas no heredarán el reino de Dios* (Gálatas 5:21b). Lo voy a llevar a corintios y efesios, y le voy mostrar como aquellos que viven en la carne y se dedican a vivir tras los deseos de su naturaleza caída, no heredarán el reino de Dios.

No obstante, por otro lado, si le estoy hablando a los santos que tienen conciencia muy sensitiva, quienes cada vez que cometen un error o hacen algo malo sienten que han perdido su salvación, yo voy a llevarlos a las Escrituras que nos dan la seguridad del amor de Dios, les mostraré como Cristo los sostiene y que ningún hombre los puede arrancar de las manos del Padre. Los voy a llevar a los pasajes que les darán la seguridad.

Así que la posición que tengo sobre el tema, depende de la condición de la persona con quién estoy hablando. Puedo tomar cualquier posición y discutirla infinitamente. Puedo intercambiar Escrituras con las personas a ambos lados del tema. Puedo dejarle escoger que posición quiere y yo escogeré la otra posición, y le mostraré un montón de Escrituras y tendré un buen argumento como usted.

El hecho de que es un tema discutible demuestra que hay dos lados. Si hubiera una clara y definitiva enseñanza, entonces no habría discusión. Si no tuviéramos la Escritura que declara: *Ven, y el que tiene sed, venga; y el que quiera, tome del agua de la vida gratuitamente* (Apocalipsis 22:17), entonces usted no tendrá una discusión. Pero el hecho es que tenemos la enseñanza clara para escoger dada por Dios. Él espera que tomemos esa decisión: *Escogeos hoy a quién sirváis . . .* (Josué 25:15) . . . *¿Hasta cuándo claudicaréis vosotros entre dos pensamientos? Sí Jehová es Dios seguidle; y si Baal, id en pos de él . . .* (1 Reyes 18:21). Más no obstante Jesús dijo a Sus discípulos: *No me elegisteis vosotros a Mí, sino que yo os elegí a vosotros, y os he puesto para que vayáis y llevéis fruto, y vuestro fruto permanezca* (Juan 15:16). Hay dos lados en este asunto, es muy importante que no nos encontremos en una posición intransigente en un lado excluyendo al otro, porque definitivamente dividirá su congregación.

Yo, al igual que otros estudiantes en el instituto bíblico, luché con este asunto, estaban leyendo La Soberanía de Dios de Arthur W. Pink, me confundí porque Pink declara que el hombre no tiene la capacidad de escoger en cuanto al tema de la salvación. Todo depende de Dios, no hay responsabilidad del hombre. Mientras leía el libro, estaba tan confundido que me levanté, y lo tiré al otro lado del dormitorio. Me sentí igual que Martín Lutero tirándole un tintero al diablo. Y dije, "Dios, no entiendo." Estaba mentalmente frustrado. Entonces el Señor me habló al corazón y dijo: "No te pedí que lo entendieras, solo te pedí que creas Mi Palabra."

Desde ese momento estuve más tranquilo. No puedo aún en mí mente racionalizar estas dos posiciones, no puedo juntar a las dos, que es el problema que muchas veces tenemos. Es como la vía del ferrocarril. Las dos líneas corren paralelas y si se unen, usted tiene problemas. Así que, creo en ambas aún cuando no soy capaz de conciliarlas en mí mente, ya no necesito hacerlo. Puedo estar satisfecho con sólo creerlas, sin tener que adecuarlas a mí mente limitada.

Tratar de entender a Dios en mí mente limitada es una verdadera frustración. ¡Trate de entender la eternidad! ¡Trate de entender el infinito! ¡Trate de entender los límites del espacio! ¡Trate de imaginar donde queda el borde del espacio! ¿Cuán lejos tendría que ir antes que vea el aviso. "Camino cerrado. No hay salida. No hay nada después de este punto?" Necesitamos reconocer que Dios es más grande de lo que podamos entender en nuestra mente. Él dice: *Porque Mis pensamientos no son vuestros pensamientos, ni vuestros caminos Mis caminos, dijo Jehová. Como son más altos los cielos que la tierra, así son Mis caminos más altos que vuestros caminos, y Mis pensamientos más que vuestros pensamientos* (Isaías 55:8-9). Ahora si Dios dice que Sus caminos están más allá de lo que podemos descubrir, entonces es inútil tratar de encontrarlos. Está más allá de nuestro alcance.

Necesitamos aceptar que Dios es ilimitado. Ahora cuando me encuentro con estos temas críticos, aquellos lugares donde mí intelecto se encuentra en un lugar sin salida, simplemente me levanto y adoro a Dios quien es tan impresionante que no puedo limitarlo a mí entendimiento.

Conforme empieza a ministrar, y va a través de la Palabra, se encontrará con esas Escrituras que hablan de la soberanía de Dios. Cuando las encuentre, enséñelas. Cuando se encuentre con las Escrituras que enseñan la responsabilidad del hombre, entonces enseñe eso. Haciendo esto puede estar seguro que la gente está recibiendo una dieta espiritual bien balanceada.

CAPÍTULO DOCE

AVENTURAS DE FE

Pero sin fe es imposible agradar a Dios; porque es necesario que el que se acerca a Dios crea que le hay, y que es galardonador de los que le buscan.
Hebreos 11:6

¡Es siempre emocionante darle a Dios una oportunidad para obrar! Dios quiere que sea parte de lo que Él está haciendo. Dios no quiere dejar de trabajar, así que es importante averiguar lo que Él quiere hacer. He encontrado que la manera en que descubrimos como Dios quiere obrar es aventurarse en la fe. Necesitamos hacernos a un lado y ver que es lo que el Señor podría hacer. Pero, así como damos el paso de fe, debemos cuidarnos contra la presunción. Mucha gente que prueban las aguas para ver lo que Dios quiere hacer, cometen un grave error apoyándose en el esfuerzo humano cuando Dios obviamente no participa en ello. Algunas veces estamos tan involucrados en algo, que nuestra reputación está en juego. Entonces comenzamos a gastar energía extra y esfuerzo en un programa que no era iniciado por Dios.

Me he aventurado muchas veces solamente para

descubrir que Dios no esta en ello. Entonces: ¿Qué hacemos? Retrocedemos. Lo que nos trae problemas es cuando con orgullo decimos: "Vamos a hacer que esta obra tenga éxito." Gastamos toda nuestra energía tratando de crear algo en lo que Dios no participa, y esto puede destrozarlo. Cuándo doy un paso en fe, si esto resulta, me alegro y digo, "¡estupendo! Él Señor me guió." Si no resulta, retrocedo y digo: "Pensé que era una buena idea, pero sin duda se cayó boca abajo." Así, que pienso que hay ciertas precauciones que uno debe de tomar en cualquier aventura de fe.

En el Antiguo Testamento, tenemos la historia de Saúl. Durante su reinado, él estableció un ejército de reputación. Él era comandante sobre la mayor parte del ejército, y Jonatan lo era de la parte menor. Este no era un gran ejército, pero los filisteos habían invadido la tierra y ésta vez estaban decidido a exterminar completamente a Israel. Ellos tenían un grandioso ejército con carros de guerra, siendo una amenaza militar, por lo cual, la mayor parte del ejército Israelí desertó y huyó al otro lado del río Jordán. Quedaron tan sólo unos pocos hombres, y ellos estaban temerosos. Y una noche despertó Jonatan, con lo que pudo haber sido, ya sea un pensamiento perturbador o alentador. Si Dios quería entregar los filisteos a Israel, no necesitaba de todo un ejército. Si Dios quiere obrar, lo puede hacer fácilmente con tan sólo un hombre como con cien mil hombres.

Ahora bien esto es cierto cuando lo vemos desde un punto de vista lógico. Dios no necesita a todo un ejército. Todo lo que Dios necesita es a una persona en armonía con Su propósito. Dios puede realizar Sus deseos por medio de un hombre. Todo lo que Él necesita es sólo a un hombre. Esto es a la vez un pensamiento desafiante y emocionante. Este pensamiento mantuvo despierto a Jonatan hasta que finalmente le dijo a su paje de armas: *Sube tras mí, porque Dios los ha entregado en manos de Israel* (I Samuel 14:12b).

Así que ellos iniciaron una aventura de fe. Esto es tener una disposición mental que dice: "Veamos si Dios quiere obrar hoy, veamos que quiere hacer hoy Dios." Simplemente es estar disponible. Pero Jonatan planeó como protegerse. Estando en camino hacia el campamento de los filisteos, él dijo: Tenemos que estar seguros que Dios participa en esto. Cuándo seamos descubierto por sus centinelas, si ellos nos dicen ¡Hey muchachos que hacen acá, esperen vamos a salirles al encuentro y darles una lección! Entonces sabremos que Dios no quiere entregarnos a los filisteos hoy. Pero si ellos dicen ¡hey muchachos suban y les mostraremos algunas cosas,! entonces sabremos que Dios nos los ha entregado en las manos. Así que dejaron la situación en manos de Dios. Ellos no se lanzaron contra los filisteos pensando: "Dios estará con nosotros y los arrasaremos." Hubo cierta precaución. Si no estoy seguro, el tener un poco de precaución es sabio. La Biblia esta llena de historias de personas que se aventuraron en fe, dando a Dios una oportunidad de hacer lo que Él intentaba hacer, simplemente estando disponibles para Él.

Hace unos años, oímos que la estación de radio KWVE estaba a la venta, y en aquella época transmitíamos a través de la emisora radial KYMS. Nosotros estábamos, en ese entonces, dándoles los recursos financieros y la difusión necesaria para que ellos comenzaran. El presidente de la estación la compró con el fin de traer una radio cristiana al condado de Orange. The Word For Today (La Palabra Para Hoy) fue inicialmente el programa clave de la estación. Pero cuando los nuevos propietarios tomaron posesión, decidieron cambiar de formato a música contemporánea y suspendieron los programas de enseñanza bíblica. Entonces fuimos a la estación KBRT, pero eran extremadamente costosos.

Fue cuando entonces oímos que KWVE estaba a la venta. Decidimos: "Hagámosle una oferta, y vemos lo que el Señor hará. Si el Señor quiere que la tengamos, aceptarán la oferta y el negocio resultará." Le dimos a Dios una oportunidad para obrar. Le preguntamos a Dios: "¿Quieres una estación de radio en el condado de Orange, California que trasmita música de alabanza y enseñanza bíblica? ¿Deseas esto?"

Allí estábamos dispuestos a aventurarnos y darle a Dios una oportunidad. Eso definitivamente fue un acto de fe. Estábamos determinados a no regatear y negociar. Les daríamos únicamente una cifra. Si responden: "Tenemos también a otros interesados." Les contestaríamos: "Excelente." Las tácticas de presión en las ventas no funcionan cuando se está encomendado al Señor. Oramos: "Bien, Señor si Tú la quieres, excelente, y sino, también excelente." Finalmente, aceptaron la oferta y así es que tenemos a KWVE hoy, y está proveyendo un ministerio glorioso. Es interesante ver que la emisora produce ganancia a pesar de que nosotros cobramos una tercera parte de lo que cobran otras emisoras religiosas del área por trasmisión. Podemos poner al aire los programas de nuestros socios en el ministerio por mucho menos, y darles una buena audiencia. Dios ha bendecido a KWVE, pero porque dimos el paso adelante y dijimos, "Dios, si es esto lo que quieres, nosotros daremos el paso en fe y haremos la oferta."

Pero hubo también una estación de televisión a la venta. Dimos una oferta por ella. La vimos como una oportunidad para el Señor de televisar lo que llamamos "Cristiandad Representativa," en lugar de los programas lunáticos tan en boga. Nuestra oferta no fue aceptada, así que simplemente nos retiramos. No insistimos ni nos pusimos por delante del Señor. Si Dios quería que la tuviéramos, la habría hecho disponible, y si no, no íbamos a insistir o negociar. Así que, el dar un paso adelante de fe y ver lo que Dios quiere hacer es lo que pudiera llamar, "probando las aguas."

Hace unos cuantos años nos dimos cuenta que necesitábamos una instalación más grande para nuestro instituto bíblico, el cual, en ese tiempo, estaba ubicado en el Centro de Conferencias de Twin Peaks. El instituto bíblico necesitaba el centro de conferencia enteramente como residencia escolar, por lo tanto no podríamos continuar con nuestras conferencias regulares junto con el instituto bíblico. Entonces una amplia y bella hacienda propiedad de La Misión de Rescate de los Ángeles se puso en venta, dimos un depósito por ella, pero varios miembros del consejo de la Ciudad de Vista que vivían cerca de la propiedad comenzaron una campaña pública en nuestra contra. Decidimos: "No tenemos porqué pelear por esto," y retiramos nuestro depósito. Un corredor de inmuebles que vio la noticia en el periódico que habíamos cancelado el contrato, nos llamó, y dijo que casualmente tenía en lista de venta una propiedad en Murrieta Hot Springs, que todavía no se había hecho pública. Fuimos y miramos la propiedad, y pudimos ver su potencial. Hicimos nuestra "oferta muy baja" y dijimos: "Si el Señor está en esto, la tendremos." ¡Y la adquirimos!

Lo interesante, es que habíamos estado esperando por la propiedad contigua a Calvary Chapel en Costa Mesa por varios años. Este edificio de seis pisos nos lo habían ofrecido originalmente a $18 millones dólares. Hace unos años hicimos una oferta de $10 millones y dijeron: "No, vale más que eso." Entonces una persona vino y negoció un acuerdo con el arrendatario principal. La propiedad nos fue entonces ofrecida por $8.9 millones. ¡Proseguimos adelante y la conseguimos por $1 millón menos de lo que habíamos ofrecido! Realmente vimos la mano del Señor en todo esto.

Pero lo interesante es que si primero hubiéramos comprado el edificio contiguo, jamás hubiéramos comprado Murrieta Hot Springs. No hubiéramos estado en condición de comprar Murrieta. De manera que durante todo el proceso vimos la mano de Dios. Él quería que tuviéramos ambas propiedades, orquestó la sincronización de manera tal que ya estábamos dentro de Murrieta cuando el edificio de oficinas estuvo disponible al precio que era demasiado bueno para dejarlo pasar. Así que, ahora estamos aquí con ambas propiedades.

Estábamos dando pasos infantiles, y el Señor quería que tomáramos un paso agigantado. Siga hacia delante, hasta que el Señor abra la puerta, continúe moviéndose hacia delante. Siempre hay un sentimiento de osadía en un paso de fe. Se arriesga para ver lo que el Señor pudiera querer hacer. Pero, otra vez, si Dios no está allí, no pelearemos con Él, no presionamos ni manipulamos ni forzamos las cosas. Si Dios está en eso, será a Su manera. Ocurrirá suavemente y no tendremos que hacer concesiones.

Cuando Greg Laurie se hizo cargo de nuestro estudio bíblico de los lunes por la noche, Dios comenzó realmente a bendecirlo a él y al ministerio. Veíamos a los jóvenes pasar adelante cada lunes en la noche para recibir a Cristo. Llamé a Greg a la oficina y le dije, "¿Greg, porqué no intentamos conseguir por una semana este verano el el Pacific Amphitheater? Busquemos un lugar más grande para ver lo que Dios puede hacer si tenemos más espacio. Estamos llenando el local los lunes por la noche y no tenemos sitio para todos. Así que, ¿por qué no intentamos con el Pacific Amphitheater?" Eso fue en abril, y Greg pensaba que no tendríamos suficiente tiempo para hacerlo. Él dijo, "¡Ahora no lo puedes hacer! Y yo dije, ¿Por qué no? Veamos si tienen una semana disponible. Veamos que quiere hacer Dios en un escenario más grande."

Llamamos al Pacific Amphitheater y dijeron que tenían una semana disponible en el verano. Decidimos llamar al evento Harvest Crusade. Estábamos llenos de alegría porque ¡esa semana fue gloriosa! La última noche tuvieron que cerrar las puertas porque habían demasiadas personas dentro. Ellos instalaron altoparlantes afuera, para que la gente que no pudo entrar, escuchara. ¡Eso fue conmovedor! Y ha crecido y se ha desarrollado desde entonces, pero todo comenzó con sólo un paso de fe. "Vea lo que Dios quiere hacer. Dele una oportunidad a Dios para obrar. De un paso adelante." Podemos arriesgar algo de dinero, pero como dicen, "quien no arriesga, no gana."

Otro ejemplo clásico en el Antiguo Testamento de dar pasos en fe tuvo lugar cuando la ciudad de Samaria fue sitiada por los sirios. Las condiciones eran tan malas en la ciudad que la quijada de un asno se vendía por sesenta y cinco piezas de plata y medio litro de estiércol de paloma por cinco piezas de plata. Las mujeres se volvieron caníbales. Una mujer clamó al rey suplicando por ayuda, y él respondió: "¿De dónde te puedo ayudar no tengo comida para mí mesa?" . . . Ella dijo: "Esta mujer me dijo: Da acá tu hijo, y comámoslo hoy y mañana comeremos el mío. Cocimos a mi hijo, y lo cominos y ahora ha escondido a su hijo ¡Haz que ella de a su hijo para que lo comamos!" El rey rasgó sus vestidos. y dijo: *¡Así me haga Dios, y aun me añada, si la cabeza de Eliseo hijo de Safat queda sobre él hoy!* Él culpaba a Dios por sus problemas (II Reyes 6:24-33).

Eliseo era una clase interesante de profeta, así como también un hombre interesante. Tenía un gran conocimiento espiritual interior y una comunión tan cercana a Dios, que se sorprendió cuando no le mostró las cosas. Ahora, de vez en cuando Dios me ha mostrado alguna cosa, pero siempre estoy impresionado y asustado cuando Él lo hace. ¡Me emociono! Esto ocurre pocas veces en la vida. Eliseo

estaba tan sintonizado, que se sorprendió cuando Dios
no le mostró las cosas. Me maravillo cuando Dios lo
hace, pero él estaba sorprendido cuando Dios no lo
hizo.

Eliseo estaba en casa con sus amigos cuando se dijo
así mismo: *¡Ah! Puedo enfrentarlo. Y sus amigos le
preguntaron, ¿Qué está pasando, Eliseo? Y él
respondió, el rey ha enviado un mensajero para
cortarme la cabeza. Así que, cuando toque a la puerta,
ábranla e impídanle la entrada. Porque, ¡he aquí! Que
los pasos de su amo están detrás de él* (II De Reyes 32-
33). Poco después tocaron a la puerta y los amigos de
Eliseo abrieron la puerta, sujetaron al mensajero
contra la puerta y lo mantuvieron allí. Entonces el rey
vino con el hombre en quien se apoyaba y dijo:
*¡Finalmente té tengo! Tú has afligido a Israel por largo
tiempo.* Eliseo contestó: *¡No soy yo el que ha afligido a
Israel por largo tiempo. Tú eres quién ha afligido a
Israel trayendo adoración de Ball. Tú eres el culpable!*

Él dijo, no se preocupen. Mañana a estas horas se
venderá un seah de flor de harina en la puerta de
Samaria por sesenta y cinco centavos. El primer
ministro se burló de la promesa de Dios diciendo: *Si
Jehová hiciese ahora ventanas en el cielo, ¿sería esto
así? . . .* (II Reyes 7:2b). Y Eliseo dijo: *He aquí tú lo
veras con tus ojos, mas no comerás de ello* (II Reyes
7:19b).

¿Por qué el primer ministro vaciló ante la promesa
de Dios? Porque él dedujo humanamente, como Dios lo
podría hacer. Muchas veces, es así como nos metemos
en problemas. No podemos ver como lo puede hacer
Dios. Lo intentamos y lo planeamos de todas las
formas y llegamos a la conclusión de que esto es
imposible. Somos propensos, como el primer ministro,
a decir: *Si Jehová hiciese ahora ventanas en el cielo,
¿sería esto así? Eliseo dijo, He aquí tú lo verás con tus
ojos, mas no comerás de ello* (II Reyes 7:2). Dios va a

hacer Su obra, pero por su incredulidad, no recibirá los beneficios o provechos de la obra de Dios.

La historia continúa con cuatro hombres leprosos que vivían en el basural a las afueras de la ciudad de Samaria, a causa de la lepra no se les permitía entrar en la ciudad. Debido al hambre que había en la ciudad se estaban muriendo, ya que sólo comían las sobras que les eran tiradas sobre el muro. Uno dijo a otro: *¿Para qué nos estamos aquí hasta que muramos? Si tratáremos de entrar en la ciudad, por el hambre que hay moriremos en ella . . . Vamos pues, ahora, y pasemos al campamento de los sirios si ellos nos dieren la vida viviremos; y si nos dieren la muerte moriremos* (II Reyes 7:3-4). Empezaron una aventura de fe que se inició con la esperanza que quizá les darían un poco de pan, o tal vez no.

Me sorprende, que muchas iglesias no dan este mismo paso, mientras que las personas que quedan se miran unas a otras. Me asombro que no digan: "¿Bueno por qué permanecemos sentados hasta que muramos? Hagamos algo. Quizá funcione, o quizá no, no importa, porque de todas maneras moriremos. Aventurémonos.

Yo pienso en todas las aventuras de fe que se han dado a través de la historia con sólo esta premisa. ¿Quién sabe lo que Dios quiera hacer? Demos un paso, busquemos, démosle a Dios una oportunidad. La historia de Eliseo concluye cuando los sirios escuchan ruidos que interpretan como carros de guerra de los egipcios, presumen que el rey ha contratado a los egipcios como mercenarios, y cunde el pánico. Comenzaron a huir, y para cuando los cuatro leprosos entraron a la primera tienda, encontraron que había cena en la mesa y nadie para comerla. Comieron, tomaron todos los tesoros, y fueron a la siguiente tienda y lo mismo pasó, sin hombres, y llena de alimentos.

Según tomaban el botín, lo enterraban y escondían

y uno de ellos dijo: *¡Hey compañeros mejor les dejamos saber a ellos lo que el pueblo ha hecho. Si escondemos esto y lo acumulamos para nosotros mismos, mal vendrá sobre nosotros. Se regresaron a la ciudad, y le vocearon al guardia en el muro, el campamento de los sirios está vacío. Hay abundancia de comida para todos. Déjenle saber al rey que el pueblo no necesita ir a dormir hambriento esta noche. Cuando el informe llegó donde el rey, él dijo, esto es una trampa. Esos mañosos sirios saben cuan hambrientos estamos, y se han escondido en el campo para esperar por nosotros cuando salgamos de la ciudad. Entonces para caer sobre nosotros y matarnos. No dejen que nadie salga fuera de las puertas de la ciudad. Mantengan las puertas de la ciudad con barras* (II Reyes 7:9-12).

Yo pienso en la tragedia y en el costo de la incredulidad. Nos impide participar incluso cuando Dios ha provisto abundantemente. Yo he encontrado gente que tiene esta clase de mentalidad, siempre creen estar en un tipo de trampa. Es demasiado bueno para ser verdad y tiene que haber algo más. Cuando Dios obra les da miedo aventurarse.

Hay un pasaje en las Escrituras que ha significado mucho para mí a través de los años. Se encuentra en II Crónicas 14, comienza con la historia del reinado del rey Asa sobre Judá, él tenía 25 años cuando ascendió al trono. Poco después del comienzo de su reinado, los etíopes invadieron la tierra uniéndose a otras naciones con un ejercito de un millón de hombres, más carros de guerra. Cuando Asa recibió el informe de este enorme ejército invasor, él oró al señor y dijo: *¡Oh Jehová para Ti no hay diferencia alguna en dar ayuda al poderoso o al que no tiene fuerzas! Ayúdanos, Oh Jehová Dios nuestro, porque en Ti nos apoyamos, y en Tú Nombre venimos contra este ejército. Oh Jehová, Tú eres nuestro Dios no prevalezca contra Ti el hombre* (II Crónicas 14:11).

Me parece bien, me gusta. Él no dijo: "Dios, yo tengo un plan. Y ahora, yo quisiera que tú bendigas el plan." No dijo: "Ahora Dios, yo lo tengo todo calculado, es tiempo de bendecir nuestro programa." No fue: "Dios ponte de mi lado," en lugar de esto, fue así: "Dios yo voy a Tú lado, en tu nombre vamos a ir contra ellos. No prevalezca el hombre contra Ti, no van a prevalecer contra mí, porque yo no tengo nada, no tengo ningún poder, pero Señor esto no hace ninguna diferencia para Ti. Yo voy a ir en tu nombre. No dejes que ellos prevalezcan contra Ti. Ellos pueden derrotarme, pero no dejes que te derroten.

Esto es semejante a lo que dijo Jonatan. Dios no necesita un ejército completo. Dios puede hacerlo sólo con un hombre si Dios obra. Es lo que dijo Pablo en Romanos 8:31 *¿Qué, pues, diremos a esto? Si Dios es por nosotros, ¿*quién contra nosotros? Dios le dio a Asa la victoria sobre los etíopes. Cuando Asa regresaba, el profeta del Señor le salió al encuentro y le dijo: *Oídme Asa, y todo Judá y Benjamín; Jehová estará con vosotros, sí vosotros estuviereis con Él; y si le buscareis, será hallado de vosotros; mas si le dejareis, Él también os* dejará (II Crónicas 15:2b). Cuando él comenzó su reinado como rey sobre Judá, Asa recibió Palabra de parte del Señor. *Jehová estará con vosotros, sí vosotros estuviereis con Él; y si le buscareis, será hallado de vosotros; mas si le dejareis, Él también os dejará.*

Bajo el reinado de Asa el reino fue próspero y el pueblo fue bendecido, pero al fin de su reinado, cuando él era rico, próspero y afortunado el reino del norte, Israel decidió invadir Judá. Comenzaron a edificar ciudades fortificadas al norte de Jerusalén. Se preparaban para levantar un cerco antes de atacar a Judá.

Cuando Asa los vio construyendo ciudades fortificadas, comprendió cual era su plan y tomó dinero del templo. Lo envió a Ben-adad, rey de Siria, para que pagaran a los sirios para atacar a Israel por el norte. Los sirios descendieron desde las alturas del Golán y comenzaron a atacar la parte norte de Israel, entonces el rey de Israel llevó las tropas que estaban edificando las ciudades fortificadas hacia el norte para defenderse de los sirios. Así como las tropas dejaron de fortificar las ciudades, los hombres de Judá fueron y las desmantelaron.

Viendo los resultados parece que; la estrategia fue un éxito, funcionó. Asa sin duda presumía y se deleitaba de su brillante estrategia. El dinero puede hacer grandes cosas, y él se gloriaba en lo que se puede hacer si se tiene suficiente dinero. Puede emplear a los sirios, son mercenarios y así puede protegerse. ¡Qué estrategia tan maravillosa!

El profeta Hanani vino a Asa y le dijo: *Por cuanto te has apoyado en el rey de Siria, y no te apoyaste en Jehová tu Dios, por eso el ejército del rey de Siria ha escapado de tus manos. Los etíopes y los libios, ¿no eran un ejército numerosísimo, con carros y mucha gente de a caballo? Con todo, porque te apoyaste en Jehová, Él los entrego en tus manos* (II Crónicas 16:7-8). *Cuando eras pequeño y no tenías poder y enfrentaste al ejército invasor de los etíopes confiaste en Él Señor y te liberó, pero ahora que has crecido en poder y fuerza, confías en tus propios medios, nos sabes que: Los ojos de Jehová contemplan toda la tierra, para mostrar su poder a favor de los que tienen un corazón perfecto para con Él* . . . (II Crónicas16:9). Esta es la clave. Los ojos de Señor van de un lado a otro a través de toda la tierra para encontrar hombres que sus corazones estén en armonía con Él y así mostrarles Su poder a favor de ellos.

Lo que el profeta nos dice es que Dios quiere obrar. Dios tiene una obra que Él desea hacer, y simplemente busca a personas que estén en armonía con lo que Él desea de modo que pueda mostrárseles contundentemente a su favor. La clave es descubrir, que es lo que Dios quiere hacer. Yo he encontrado que la mejor manora es dar un paso adelante. Trate y vea. Tal vez Dios obrará, tal vez quiere trabajar. Dole una oportunidad. Pero una vez más, siempre tenga la actitud "Si no funciona no lo fuerce." Mantenga la flexibilidad de ser capaz de salirse de un proyecto. Si es obvio que no funciona, no trate de forzarlo y hacerlo que funcione.

Vemos la historia que se repite en Ester cuando Mardoqueo le pide que entre a la corte a ver al rey. Su respuesta fue: *Cualquier hombre o mujer que entra . . . sin ser llamado . . . ha de morir . . . Dijo Mardoqueo que respondiesen a Ester: No pienses que escaparás en la casa del rey más que cualquier otro judío . . .* "Quizás Dios te ha levantado para un tiempo como este." *Porque si callas en este tiempo, respiro y liberación vendrá de alguna otra parte para los judíos* (Ester 4:11-14).

En otras palabras Dios va a hacer su obra, va a culminar su propósito. La nación de Israel no puede ser borrada, porque a través de ella el Mesías ha de venir. Debe tener la seguridad que el propósito de Dios permanecerá. Aunque falle, la salvación saldrá de otro lugar. Dios hará la obra, pero tenemos la oportunidad de ser vasos a través de los cuales Dios obra. Yo creo que muchas veces ese es el caso. Dios tiene una obra que desea hacer. Dios quiere hacerla y usted puede elegir participar. Usted puede ser un vaso si se arriesga. Con Ester fue algo muy osado entrar en la corte sin ser llamada por el rey. Si él no extendía el cetro, ella sería inmediatamente sentenciada a morir.

Hace algunos años se escribió un libro llamado: "El Evangelio Dirigible" hablaba de lo típico de los programas en las iglesias que los hombres se proponen para aumentar la asistencia a sus iglesias. Es increíble la cantidad de programas de crecimiento, proyectos y recursos en que pueden convencer a la gente. La idea era elevar un pequeño dirigible y ponerle una invitación para que la gente asistiera a la iglesia. Entonces le pusieron un cable y lo dejaron volar sobre la iglesia, para informar a la gente que allí se encontraba la iglesia. También pusieron el mensaje "Jesús te Ama" en el dirigible.

Los problemas que tuvieron para mantenerlo en alto fue una historia clásica, al fin vino una tormenta y lo trataron de rescatar. Tuvieron una pelea, que finalmente dividió a la iglesia. La mitad de la gente se fue enojada con la otra mitad. Esto es lo que ocurre con el esfuerzo humano. En vez de crear unidad en la iglesia, les trajo una pérdida. Desde el principio cuando se dieron cuenta que la idea no funcionaba, debieron haber reconocido que era un error, olvidarlo y dejar que el viento se lo llevará, al contrario dijeron: "Pero si, invertimos $1.500 dólares en este dirigible, tenemos que mantenerlo, arriba." No trate de retener algo que Dios quiere que el viento se lo lleve.

Hace tiempo fui invitado a una iglesia Bautista del Sur en Lubbock, Texas para hablar. El pastor dijo que habían decidido no mantener vivo ningún programa en la iglesia por medios artificiales. En otras palabras no iban a poner un sistema para sostener y tratar de mantener vivo algo que se estaba muriendo.

Esto es una equivocación que la iglesia comete frecuentemente. Hay un tiempo en el que Dios permite un programa particular, pero ese tiempo termina. Desgraciadamente se vuelve una tradición para la gente y tienen que mantenerlo vivo. Bombean a través del sistema artificial en un intento para mantenerlo vivo. Con la ayuda de Dios aprendimos a dejar las cosas morir con una muerte natural en vez de mantenerlas por medios artificiales.

Es siempre una señal de deterioro cuando se vuelve al pasado para decir lo que Dios ha hecho, es mejor decir: "Mire lo que Dios esta haciendo hoy." En vez de escuchar lo que Dios ha hecho es importante que seamos una parte vital de la obra. Necesitamos experimentar y ver la obra de Dios por nosotros mismos, de lo contrario, no funciona. Necesitamos hacer de cada generación posterior, una primera generación en lo concerniente a experimentar la obra de Dios. En este sentido, la obra continúa. Pero cuando construimos un monumento y empezamos a decir miren lo que Dios ha hecho, y como Dios usó a esta persona; miren como ha bendecido Dios a ese hombre. Seamos cuidadosos. Cuando construimos un monumento para que se recuerde lo que Dios hizo en el pasado, siempre es un día triste, porque cada uno necesita experimentar la obra de Dios, viva y fresca en nuestras vidas.

Hace un tiempo en Calvary Chapel, Costa Mesa los sábados por la noche se efectuaban conciertos con resultados increíbles. Estos conciertos fueron un instrumento que tuvimos en marcha para presentar el Evangelio en una forma gloriosa. La iglesia se llenaba más de su capacidad. Teníamos varios grupos de música y cientos de jóvenes pasaban al frente a recibir a Jesucristo cada noche. Si usted realiza una encuesta en el sur de California donde las personas fueron salvas, encontrará que muchas fueron salvas en los conciertos del sábado por la noche en Calvary Chapel. Fue un tiempo en el que Dios usó estos conciertos, pero ese tiempo terminó. Hace un par de años, alguien dijo que sería bueno que se vuelvan a realizar los conciertos los sábados por la noche. Respondí "esta bien, adelante." Pero, el tiempo había pasado. Por un tiempo trataron de mantenerlo, pero es como si Dios hubiera dicho: "No, ése tiempo pasó." Esto no quiere decir que no se haga otra vez dentro de un tiempo, pero para mantenerlo y ver que lentamente pierde vida es mejor cancelarlo. Déjelo ir, déjelo morir, no trate de mantenerlo.

Así que, de un paso de fe. Si funciona regocíjese, si no busque algo más. Dele la oportunidad a Dios. Yo creo firmemente en darle la oportunidad a Dios, y cuándo obra ¡glorioso! Pero cuando no funciona, usted no se ha involucrado lo suficiente como para apartarse y decir: "Bueno, parecía buena idea, ¿cierto?" No se cierre en eso, como para no dejarlo ir.

Sea guiado por el Espíritu Santo y no tenga temor de seguirle. Habiendo comenzado en el Espíritu no busque ser perfeccionado en la carne. Yo veo esto como un problema, incluso con algunas personas que estuvieron con nosotros al principio. Dios ha bendecido sus ministerios, pero desdichadamente se han vuelto más organizados. Ahora han comenzado ha ser guiados por los programas y con esto han perdido algo básico. Habiendo comenzado en el Espíritu no mire el ser perfeccionado en la carne. Esto es siempre una equivocación.

Yo le agradezco a Dios por el número de pastores que nos ha dado, que han comprendido esta visión de aventurarse en fe simplemente. Yo observo como se aventuran en la fe. Es emocionante ver como Dios nos bendice cuando nos atrevemos a dar este paso. Y le permitimos hacer lo que Él quiere hacer. La clave es estar accesibles, quién sabe, los ojos del Señor contemplan la tierra, para mostrar Su poder a favor de los que tienen corazón perfecto para con Él. Descubra la voluntad de Dios y sométase a ella. Tenga su corazón en armonía con el de Él y usted se maravillará de lo que Dios hará y como será bendecido.